marcelle giguère

ESPÉRANCE et CANCER

marcelle giguère

ESPÉRANCE et CANCER

Les Éditions le Renouveau (Charlesbourg) Inc.

Éditeur:
Les Éditions le Renouveau Inc.
880, Carré de Tracy est, C.P. 7127,
Charlesbourg (Québec) Canada G1G 5E1

Distributeur:
Les Messagers catholiques de la Bible,
C.P. 1815, Québec (Québec) Canada G1K 7K7
Tél.: (418) 628-3445

Imprimeur:
Imprimerie le Renouveau Inc.
Charlesbourg (Québec)

Conception graphique:
Jean Couture

Photographie de la page couverture:
Michel Boulianne

Dépôt: 1er trimestre 1988
Bibliothèque Nationale du Québec
Bibliothèque Nationale du Canada

ISBN 2-89254-012-7

IMPRIMÉ AU CANADA

REMERCIEMENTS

Je veux remercier tout spécialement mon mari et mon fils pour l'accompagnement idéal qu'ils ont su m'apporter. En eux, j'ai trouvé compensation à ce qui pouvait me manquer pour continuer à poursuivre ma route. À tous deux, je dis mille fois merci ! J'adresse un merci chaleureux à ma famille et à tous mes amis qui m'ont supporté tout au cours de la maladie et de ma convalescence.

Un merci exceptionnel aux quatre personnes qui inconsciemment m'ont donné l'idée d'écrire un livre:

Monsieur Martin Allen, f.é.c., mon cousin
Monsieur Pierre-André Giguère, mon fils
Madame Cécile Maranda Bouchard, ma soeur
Madame Jeanne d'Arc Gaboury, une amie.

Merci très sincère au docteur Luc Deschênes, chirurgien, directeur de la clinique des maladies du sein H.S.S., pour avoir accepté d'écrire ma préface. En lui, j'ai trouvé ce qu'une personne atteinte de cancer est en droit de recevoir de son médecin. Il a vraiment la vocation.

Merci aux infirmières:

Madame Édith Picard Marcoux,
clinique du sein,
Madame Lorraine Bernier, hématologie,
Madame Nicole Duperré,
chef technicienne en médecine nucléaire,
Madame Martine Genest,
projet de l'Université Laval.

Merci à monsieur Jean-Marie Chamberland, p.b., aumônier de l'Hôpital du St-Sacrement.

Merci aux membres du groupe d'intériorité qui à chaque semaine partageaient les souffrances de ma convalescence. Comme ils ont été un support moral pour moi. Merci pour l'intérêt porté à la réalisation de mon livre.

PRÉFACE

Le cancer du sein ne laisse personne indifférent car il frappe sans avertissement les femmes parfois jeunes, souvent mères de famille en bonne santé. Malgré des progrès constants, cette tumeur maligne demeure la première cause de mortalité chez les femmes de 45 à 54 ans. Ce livre présente le témoignage authentique d'une femme qui raconte son expérience personnelle. Dans ces pages, l'auteur fait ressortir comment le spectre de la maladie et de la mort amène l'être humain à découvrir des ressources insoupçonnées pour faire face à ses épreuves.

Ce récit constitue avant tout un message lucide et plein d'espoir aux femmes atteintes de cancer du sein. Il est évident que pour toutes les femmes l'évocation de cette maladie représente déjà l'angoisse et la peur de la souffrance, la mutilation ou la mort. L'auteur nous explique comment il est possible de faire face et de triompher. Pour elle, la foi transporte les montagnes et peut transformer en éléments positifs les plus sombres augures.

Un autre volet du message aborde le problème des relations avec le conjoint, les enfants, les amis, et l'entourage. On découvre alors l'importance de pouvoir compter sur le soutien et la compréhension des proches pour surmonter les difficultés et faciliter la réadaptation.

Les propos de l'auteur nous font découvrir également le cheminement des délicates relations qui s'établissent entre le malade et l'équipe des professionnels de la santé. On peut se rendre compte de la difficulté de répondre à toutes les interrogations, de ne pas enlever l'espoir tout en communiquant la vérité.

Finalement, l'auteur raconte tout au long de ces pages, comment son expérience de la maladie lui a permis de découvrir le réconfort et la force intérieure que procure la foi chrétienne. Cette foi lui aura permis d'accepter la souffrance, de rester positive malgré tout et de communiquer aux autres son message d'espoir.

Luc Deschênes, MD, FRCSC

PREMIÈRE PARTIE

Ma vie avant l'hospitalisation

La vie était belle

Issue d'une famille nombreuse, je suis native de la Beauce. Je suis cependant la seule de la famille à y être demeurée fidèle. Je vis donc avec mon mari Raoul depuis trente ans. Beauceron lui-même, il demeure le seul de sa famille à vivre dans cette région. Cinq ans après notre mariage nous arrivait un fils attendu désespérément. Ce fut la plus belle journée de notre vie. Pierre-André a aujourd'hui 25 ans. Il a terminé ses études et est sur le marché du travail depuis deux ans. Nous nous retrouvons déjà seuls tous les deux à 55 ans.

Notre vie de couple n'a pas d'histoire. Mon mari aimait la tranquillité et savait s'accepter tel qu'il était sans demander davantage à la vie. De mon côté, je débordais de vie et de joie de vivre. J'en aurais toujours demandé plus à la vie tellement je la trouvais belle. La vie valait la peine d'être pleinement vécue. Après notre mariage, j'ai travaillé comme gérante d'une agence de succursale d'une grande banque durant seize ans. Nos parents respectifs vivaient encore dans la paroisse natale et étaient fort avancés en âge. Mon mari et moi alternions d'une maison à l'autre pour adoucir la vieillesse de ces quatre personnes chères à nos yeux. Notre vie d'alors se partageait entre le travail et le soutien de nos parents. D'où une vie restreinte sur le plan social.

Nous avons vécu durant plusieurs années dans l'angoisse et l'inquiétude. Dans la force de l'âge, nous pensions notre vie en fonction des autres. Aujourd'hui, nous vivons dans la satisfaction du devoir accompli. De par l'éducation reçue, j'étais catholique croyante, mais avec les années, je devins une catholique «endimanchée». Le rite de la messe du dimanche me suffisait. C'était presque ma seule démarche de foi d'alors. Je ne sentais aucunement le besoin de raviver ma foi tiède et chancelante. Je tenais cependant à conserver le peu de foi que j'avais pour la transmettre à mon fils.

Une tumeur maligne ?

En 1965, la maladie du cancer du sein tenait une place importante parmi les maladies susceptibles d'atteindre la femme. La gent médicale essayait de renseigner la population sur les symptômes à surveiller et conseillait à la femme de procéder à l'auto-examen de ses seins.

Par mesure de prudence et par curiosité, un soir, j'en palpe le tour et le contour et à ma grande stupéfaction, je découvre une bosse sensible. Je réexamine et je la sens qui est toujours là. Le lendemain, j'accours chez mon médecin de famille qui me transfère immédiatement à un chirurgien réputé. De retour à la maison, je panique. Je dramatise. Déjà, je me vois face à un cancer. S'il fallait ! Non ! Ce n'est pas possible ! Pas moi ! À trente-trois ans, ma vie commence. J'ai besoin de vivre en toute quiétude. J'aime la vie et suis pleine de projets pour l'avenir. Je vis heureuse avec mon fils et mon mari. Je ne veux pas mourir, mais vivre pleinement ! Je ne veux pas souffrir, mais jouir énormément !

Les quinze jours d'attente avant l'opération m'angoissent au plus haut point. Le chirurgien m'avait dit: «Nous vous endormirons et nous enlèverons la tumeur. Puis nous l'enverrons analyser au laboratoire et nous saurons si nous avons affaire à une tumeur bénigne ou maligne. Si la tumeur se révèle bénigne, nous ne ferons que gratter et coudre. Par contre, si le résultat indique une tumeur maligne, nous enlèverons tout le sein.»

Même si je ne possède aucune preuve, je continue à m'inquiéter follement. Malgré la lenteur des minutes et des heures, les jours se succèdent sans se soucier de mes traumatismes avec un sans-gêne qui me laisse dépassée par les événements. Le stress augmente, la tension devient intenable et j'ai plus souvent envie de pleurer que de rire.

J'écoute les conversations des gens à la banque sans arriver à me concentrer sur leurs propos. Comme je suis loin d'eux ! Je m'imagine vivant dans un monde à part. Incapable de me départir de mon obsession, souffrant moralement et psychologiquement. J'étouffe dans cette situation difficile. De par tradition, on nous a involontairement transmis cette peur du cancer. Ce mot «tabou» représentant la déchéance, la souffrance et la mort.

La veille de mon opération prévue pour le 24 décembre, après le départ de mon mari, une grosse révolte m'envahit. J'ai crié à l'injustice envers ce Dieu que je tenais pour responsable de cette contrariété. Je ne voulais pas devenir une femme handicapée. Je voulais demeurer une femme à part entière et non me contenter de survivre au cancer. Je voulais vivre pleinement de nombreuses années encore avec les deux êtres que j'aimais. La foi n'avait, à ce moment précis, aucune importance à mes yeux. Ce qui comptait pour moi, c'était de garder mon autonomie, ma détermination à vivre. Je croyais que moi seule pouvais m'en sortir et je considérais comme inutile et impossible le fait d'avoir une confiance illimitée en Dieu. Ma révolte m'amenait à exercer une liberté et une indépendance exagérées face à Dieu.

Le jour si appréhendé arrive. Je longe le corridor sur la civière et j'ai l'impression qu'au bout se trouve un précipice sans fond ! Mais avant d'en arriver là, nous voilà déjà dans la salle d'opération. Je me sens comme un animal qu'on conduit à l'abattoir sans trop savoir de quoi il souffre !

Voilà, c'est terminé ! À mon réveil, je demande les résultats à l'infirmière qui me dit: «Seulement qu'une tumeur bénigne.» Les craintes se dissipent. M'en être tant fait pour si peu ! Cependant, si le pire était arrivé, ma révolte aurait été terrible et irrévocable. Je crois que je m'y serais accrochée et que j'y serais demeurée sans passer par l'acceptation. Mon désespoir n'aurait pas été vivable et les miens auraient eu de la difficulté à partager cette épreuve.

Les façons aléatoires de diagnostiquer la maladie à l'époque sont à noter. Par combien d'émotions et de transes la femme ne devait-elle pas passer: toutes les étapes terrifiantes du processus du cancer ! Cette manière de procéder était-elle un moyen de démystifier le mot «cancer» ? Loin de là ! Elle ne faisait qu'accentuer la crainte et faisait perdre confiance à l'examen des seins, puisqu'en général, il s'agissait de fausses alertes. Il faut dire que dans les années soixante, les statistiques de cas de cancer se voulaient moins alarmantes que celles des années quatre-vingts. Heureusement que la science, en état d'éveil constant, a amélioré de beaucoup la façon de procéder advenant une tumeur bénigne.

L'opération de ma soeur

Un an plus tard, ma grande soeur me téléphone pour m'annoncer qu'on vient de lui apprendre qu'une tumeur maligne ronge son sein. Se souvenant que j'avais eu des problèmes récents, elle voulait se renseigner sur la maladie. Selon moi, elle n'avait pas d'autre alternative que de se soumettre à l'ablation.

Avec une certaine appréhension, je lui rends visite quelques jours plus tard. Elle avait été favorisée par Dame nature d'une poitrine enviable; je me disais qu'il serait difficile pour elle de combler ce vide ! Les résultats indiquaient que la tumeur était bien localisée. Aucun ganglion d'attaqué. Donc, il n'y a pratiquement aucune crainte de récidive ou presque. Mais sa vie serait changée, tant psychologiquement que physiquement. Arriverait-elle à s'occuper de son commerce ?

À sa sortie de l'hôpital, un mois de repos forcé. Ensuite les traitements de radiothérapie se sont succédés. Environ une trentaine, suivis d'une convalescence prolongée. Au parachèvement de ses traitements, elle me montra sa poitrine. L'emplacement du sein était devenu de couleur violacée tellement le radium l'avait brûlé ! Elle n'avait plus aucune résistance physique. Cette vision des effets secondaires traumatise facilement une personne !

J'ai essayé de la comprendre du mieux que j'ai pu, mais comme ça me faisait mal ! Moi et mes neuf soeurs avons été impuissantes au cours de la maladie. Chacune, dans son for intérieur, craignait d'avoir à subir le même sort. Nous savions que notre grand-mère paternelle était décédée du cancer du sein à l'âge de 49 ans. Serait-ce héréditaire ? Le saura-t-on jamais ? Comme cette maladie sème la panique, l'angoisse et la peur !

Ce fut une période difficile pour ma soeur et sa famille. Étant près d'elle, j'ai vécu d'une façon étroite cette épreuve sans toutefois me douter que c'était là une préparation pour moi. Quinze ans plus tard, elle mourrait des suites d'une opération à coeur ouvert. Comme quoi on ne meurt pas toujours du cancer !

Peur d'attraper le cancer

Nous sommes en mai et il fait une chaleur torride: 90 degrés dans la chambre d'hôpital où je suis entrée à l'urgence. C'est étouffant pour moi qui suis si faible et qui ne peux plus absorber aucun aliment. Je fais 103 de température et j'ai perdu déjà 20 livres. J'aurais contracté, semble-t-il, un virus dans mon eau chargée de bactéries.

Ma voisine de chambre a les deux jambes amputées à cause du diabète et on vient de diagnostiquer le cancer de la bouche. Un énorme paquet de peau blanche boutonnée, visible à l'oeil, ressort de sa bouche et elle me dit qu'elle en a à la grandeur de la bouche. Dans son découragement, elle ne veut plus vivre. Elle refuse toute nourriture et exige qu'on tire les rideaux à la journée longue. Elle ne veut plus voir personne, n'accepte pas la radiothérapie et veut une ambulance pour aller finir seule ses souffrances à la maison.

J'assiste à des scènes épouvantables de refus de vivre. Sa fille essaie par tous les moyens de la persuader d'être docile, mais peine perdue puisque la mère demeure plus forte que la fille. Le médecin la contraint de prendre des tranquillisants à son insu. À ce moment-là, je crois que le cancer s'attrape et ça me répugne de lui voir la bouche. J'ai une peur, mais une vraie peur, que les infirmières interchangent les thermomètres A et B. J'étouffe dans la noirceur de cette chambre, dans cette atmosphère et dans tout ce branle-bas.

C'est donc si terrible que ça le cancer ? Ça tue non seulement le corps mais aussi le moral, la personne tout entière ! J'en ai peur. J'en ai dédain. Je trouve terribles ces souffrances psychologiques. Non, jamais je ne veux avoir le cancer ! J'en ai tellement peur ! Si je peux sortir de cet enfer !

Et voilà qu'un bon matin les médicaments font effet. En se levant, ma voisine me dit: «Au radium ce matin !» Durant mon séjour, elle en a reçu trois et déjà son excroissance de chair blanche a séché et est tombée à sa grande joie. Avec elle, j'ai connu la puissance et la valeur destructrice de la radiothérapie. Je suis retournée chez moi avec cette expérience vécue et non-appréciée d'une autre forme de cancer. Et j'en ai peur plus que jamais !

Et la vie passe. En 1975 mon père, à cause de sa femme, une belle-mère malade, a dû fermer maison et s'en aller contre son gré dans un Centre d'Accueil. J'ai dû m'occuper de l'administration de ses affaires et surtout le visiter pour le réconforter. Ma maison est devenue la «maison familiale». Le plus difficile fut d'accepter les réactions imprévisibles et choquantes à ses heures de sa femme malade. Je dois avouer que cette période de ma vie fut très difficile et crucifiante, voire même néfaste à ma santé, car je suis dotée d'une extrême sensibilité.

Mon père voulait vivre et personne ne pouvait l'arrêter d'imaginer que sa vie sur terre pourrait être immortelle. Il ne se scandalisait pas de voir tout ce qui se passait dans le monde, mais au contraire, il était anxieux de voir jusqu'où pouvait aller le monde. Une simple brûlure m'obligea à l'amener à l'hôpital pour des examens. Ses forces diminuèrent et il dormait presque sans arrêt. Son sommeil était si profond qu'on avait peine à l'éveiller. Un bon matin, peine perdue, il ne répond plus à l'appel. Sans doute parce que là où il se retrouve, la résistance, le consentement et l'acharnement à vivre sont inutiles. Un Autre avait pris charge de l'achèvement de son passage sur la terre comme Il en avait permis l'arrivée.

À cette époque, je ne pouvais comprendre pourquoi il s'acharnait à vivre malgré les handicaps de sa vieillesse et ses souffrances secrètes. J'étais agacée, exaspérée de le voir tant s'accrocher à la vie. Mais aujourd'hui, acharnée à vivre à mon tour, je peux crier à haute voix combien je suis fière de lui. Il fut pour moi l'exemple de la ténacité et d'une acceptation hors de l'ordinaire. «Dans le temps comme dans le temps», voilà le patois qu'il utilisait souvent et qui lui fut si utile. Sa philosophie de la vie lui a permis de vivre jusqu'à l'âge de 91 ans et 6 mois. Voilà sans doute le secret de sa longévité.

Mon frère Armand

1977. Mon grand frère Armand tousse mal, il crache du sang et son médecin décèle deux nodules au poumon gauche. Il les enlève par une opération délicate. Célibataire, lorsqu'il ne travaille pas, il boit tel un alcoolique malheureux. Que de fois il s'est jeté dans mes bras en pleurant. J'essayais d'être à son écoute et de le soutenir dans ces moments de découragement. Difficiles à comprendre et à vivre, ces situations !

Quinze ans auparavant, avec la mort de ma mère, s'était envolée la compréhension que seule une mère peut manifester. C'est donc chez moi qu'il venait s'échouer, malade et découragé. Je le voyais tellement souffrant et démuni que toujours je partageais ses souffrances multiples. Avec ma grande sensibilité, ces moments devenaient pour moi de plus en plus difficiles à accepter. À l'âge de 50 ans, son système n'acceptait plus la boisson devenue pour lui un poison. Ensemble nous avons essayé de trouver une solution au problème et, avec une force venue de je ne sais où, il a cessé de boire définitivement. Je fus comme soulagée d'une pesanteur inconsciente à son sujet. Je ne cessais de lui dire combien j'étais fière de lui.

Au moment où il s'était trouvé une place dans la société, où il connaissait des joies depuis quatre ans, il fallait qu'il soit pris de cette terrible maladie. D'après ce qu'il m'expliquait, je constatais qu'il ne réalisait pas la gravité de son état. Les deux nodules enlevés, il se voyait contraint à un repos complet et dans l'obligation de cesser de fumer. Son médecin me confirma que mon frère avait le cancer du poumon. Armand n'étant pas conscient de sa condition, le médecin me conseilla fortement de lui laisser ses illusions. Il en avait pour six mois, un an, deux ans à vivre...

Parler ou me taire ?

Une de mes soeurs arrive et toutes les deux, nous nous occupons de son départ de l'hôpital. Rendues chez lui, nous allons à la pharmacie. Chemin faisant, je ne peux garder seule le secret de la maladie de notre frère et je le partage avec ma soeur. Que devons-nous faire ? Elle prétend que je dois le mettre au courant. Je préfère me taire et écouter le médecin. Le temps qu'il ne soupçonne rien, ça ne l'affecte pas. Les événements lui en feront faire la découverte.

Ayant chacune nos responsabilités, nous l'avons laissé avec ses souffrances. Comme nous avions le coeur brisé de le voir seul avec un avenir si sombre ! Pourquoi dans notre famille ? Serait-ce héréditaire ? Si oui, à qui le prochain tour ? Comment prévenir ? Comment savoir ? Il n'y a rien à faire sinon attendre calmement. Sa convalescence allait bon train, mais je réalisais que tout effort exigeait une grosse dose de volonté de sa part. C'est ce qu'on appelle communément survivre après le cancer. Il se contentait de petites bribes de résistance amoindrie et s'habituait à fonctionner avec ce potentiel qui pour lui semblait assez proche de la normale considérant l'opération récente, son âge et l'usure de son physique.

Mais voilà qu'à son examen annuel de contrôle, le médecin juge bon de lui prescrire trente traitements à la radiothérapie par mesure de prudence ! Suite au décès de mon père, Armand me demande d'aller à l'hôtellerie afin de rédiger pour lui son testament. Quelle atmosphère ! Je lui laisse l'impression que je suis calme, mais quelles émotions et quels étouffements m'étreignent la gorge ! Une fois de plus, je réalise qu'il ne pense pas au cancer, car il me dit: «Tu vois ces deux femmes ? Elles sont pires que moi. Elles ont le cancer alors que le médecin m'a dit que, dans mon cas, ces traitements ne sont que par mesure de prudence et de prévention !»

Comme le médecin, je continuais à jouer le jeu, mais je me sentais coupable de ne pas lui dire la vérité. C'était pour mon mari et pour moi une grande joie en même temps qu'une grande souffrance lorsqu'il venait nous visiter. Il disait: «Je suis avec des cancéreux de toutes sortes, mais moi, comme je suis chanceux !» Et je me disais: «Je ne peux pas couper son optimisme. Tant qu'il y a de la vie, il y a de l'espoir.» Ma soeur prétendait toujours que je devais lui dire la vérité.

Une autre année passe. Voilà qu'il m'écrit pour me dire qu'il ne se sent pas bien du tout, qu'il est souffrant et sans force. Je réalise que la fin commence. Une de nos soeurs au grand coeur l'accueille pour sa phase terminale. Vient un jour où, bien décidé, il exprime le désir d'aller à l'hôpital de l'endroit pour savoir s'il s'agit bien d'arthrite comme le lui laisse croire son médecin ou s'il n'avait pas le cancer. Le médecin, en toute franchise, lui avoue qu'il souffre en effet du cancer du poumon et que ses os ainsi que son foie sont contaminés.

Comme je me suis sentie soulagée lorsque j'ai appris qu'il savait enfin la vérité ! À ma grande surprise, le soulagement se transforma en remords. Un urgent besoin de le voir me tenaillait. Seule avec lui, je lui ai demandé s'il m'en voulait de lui avoir caché la vérité. Il répondit par l'affirmative, disant qu'il se serait préparé différemment à l'éventualité de la mort. Puis constatant mon désarroi et mon regret il ajoute: «Non, je ne veux pas que tu te culpabilises. Tu as agis sans doute pour mon plus grand bien.»

Nous avons parlé de Dieu

Ensemble, pour la première fois de notre vie, nous avons parlé de Dieu, de notre foi, de nos croyances. Il me demanda d'aller aux réunions de prière du groupe charismatique de ma localité. Jamais il n'y était allé, tout comme moi d'ailleurs. Il n'espérait pas une guérison, mais plutôt un réconfort moral dans sa souffrance sur la route qu'il lui restait à parcourir. Je ne parvenais pas à comprendre ce qui se passait. Je ressentais toujours le besoin de l'entendre parler, de le voir aller si généreusement vers la mort. Lorsque nous étions seuls, il faisait la rééducation de ma foi. Il m'a confié que depuis de nombreuses années, il demandait au bon Dieu de mourir de n'importe quoi sauf de mourir en état d'ébriété tellement il se culpabilisait de ce vice. Il m'a fait part de sa dévotion à Marie et m'a fortement conseillé à ce sujet. Il m'a dit: «Marcelle, lorsque tu voudras obtenir une faveur, tu réciteras non pas un Ave Maria, ni deux, mais au moins trois. Tu verras comme c'est efficace.»

Il retourna à l'hôpital en novembre. Peu de temps avant Noël, je suis allée le voir pour la troisième fois tellement le besoin se faisait sentir. Sa grande faiblesse et sa maigreur ont failli me faire crier en le voyant. Pourquoi cette bête monstrueuse arrive-t-elle à transformer toute forme humaine en une forme squelettique ? Seuls ses yeux, sa bouche, ses dents et son sourire n'avaient pas été entachés par ce monstre sans pitié. Armand me disait avoir hâte à Noël et me confiait: «J'espère aller fêter Noël au ciel, mais je pense que le petit Jésus ne veut pas encore de moi.» Je reconnaissais bien là son humour. Mais quel abandon ! Quelle confiance ! Quelle foi en Dieu que d'accepter si calmement les dernières distances à parcourir ! Malgré ses fatigues indéniables, il continuait à parfaire l'éducation de ma foi. Je buvais ses paroles. Je les dévorais comme ayant peur que ce ne soient ses dernières. J'aimais aller à son école.

J'avais dit à ma soeur que lorsqu'arriverait la toute fin, j'aimerais y retourner une dernière fois. C'était un trajet assez incommodant de deux cent cinquante milles, mais la satisfaction valait le déplacement. J'ai passé la dernière semaine à son chevet de jour. Le calme règnait dans sa chambre. Ce silence impressionnant, ce silence de la mort qui déjà se faisait sentir m'étreignait la gorge. Comme ils ont travaillé dur ces deux bras, ces deux mains, mais jamais le travail n'a réussi à les démantibuler comme a pu le faire la maladie. Malgré cette représentation bouleversante, une atmosphère de paix indéfinissable remplissait la chambre. Moi qui ai toujours eu peur de la mort, voilà que je demeurais calme, me contentant de le regarder du pied du lit.

Je suis là, debout devant lui. Il a l'air de dormir, mais soudain, il ouvre les yeux, me fixe intensément comme s'il voulait me parler, me confier l'incommunicable, me laisser un dernier message, mais les forces lui manquent. Il ne peut plus parler. Je lui prends les mains et il essaie de serrer les miennes de toutes ses forces. Il me sourit. Je le sens loin et presque déjà rendu en des lieux mystérieux. Il a l'air si calme que j'ai peur de troubler sa paix.

Comme je voudrais pouvoir lui dire ceci: «Armand, de toi j'ai appris la vie et la mort. Sans cesse, je t'ai vu combattre pour vivre. J'en fus témoin durant toute ma vie. Maintenant, tu livres ton dernier combat avec la mort. Tu me rappelles à quel point est grand le don de la vie. Ta vie a été un éternel recommencement. Elle sera pour moi un message de courage et d'espoir. Voilà que ta fin approche. Je n'ai ni le goût, ni le courage, ni le pouvoir de t'accompagner, car la mort se vit seule avec Celui qui a permis la vie et la mort. En effet, plus personne ne peut vraiment t'aider. Il n'y a que Lui qui puisse te prendre la main. Il t'attend aux frontières de l'invisible. Va ! Tu ne peux être en de meilleures mains. Tu m'as appris beaucoup par le passé. Dernièrement, tu m'as tant apporté. Je ne peux que te dire «Merci».»

Mes pensées restent sans voix !

Sept jours plus tard, il s'est éteint doucement. Finis la lutte et les combats, les souffrances et les épreuves, la vie et le passage à la mort. C'est maintenant au tour de la joie, de la paix, de la lumière et de l'amour. À lui maintenant la vie éternelle. Cette Vie en laquelle il a cru. Cette Vie en laquelle il m'a fait croire. Je ne pouvais m'empêcher de me demander si pour lui la vie avait valu la peine d'être vécue ? Je n'ai d'autre choix que de répondre: oui ! Ne serait-ce que pour avoir été le porteur de foi à mon endroit, sa vie aura été remplie et bien vécue.

«Armand, si tout était à recommencer, je serais prête à souffrir de nouveau avec toi la déception amoureuse de tes vingt ans, ton problème d'alcoolisme, tes souffrances morales et physiques ainsi que ta fin tragique !»

L'angoisse vécue au cours de nos années de vie commune faisait place à une paix et à une quiétude que je ne parvenais pas à définir. J'avais cependant la certitude qu'elles me venaient de lui qui les tenait sans doute de Dieu !

Mon autre frère, Ovide

À peu près en même temps qu'Armand, mon plus jeune frère, âgé de 47 ans, a eu lui aussi le cancer du poumon. On lui avait enlevé le poumon gauche et on ne l'avait pas mis, lui non plus, au courant de sa maladie. Depuis son opération en 1975, il n'avait pu retravailler et ne sortait pratiquement pas. Il n'avait pu venir aux funérailles d'Armand. Il n'allait pas bien du tout. Un mois après les obsèques, ma soeur me téléphone me disant qu'Ovide me voulait à ses côtés. En apprenant la nouvelle, j'ai eu un mouvement de révolte. Un départ n'était pas encore assumé que déjà il nous fallait passer par le même processus de phase terminale et de mort ! J'ai eu un moment de lâcheté et je refusais d'y aller. Je me disais qu'étant la plus jeune et la plus éloignée de chez lui, il ne me revenait pas d'être à ses côtés. Tout près de lui, il avait quatre soeurs qui pouvaient aller le réconforter. Voilà ce que j'en pensais.

Ovide demandait sans cesse à me voir. Alors je décidai de me rendre à son chevet et chemin faisant toutes sortes de questions venaient me hanter. «Qu'est-ce que je vais faire là ? Suis-je qualifiée pour la circonstance ? Je ne le crois pas ! Et Toi, Seigneur, si tu as quelque chose à me faire réaliser, je Te donne une semaine !»

À mon arrivée, je le trouve mieux que je ne le croyais, mais par sa démarche, je réalise que ses os sont attaqués. Lui aussi a été dupe face à la gravité de sa maladie. Il sait qu'il lui manque un poumon et pense que ses malaises ne sont dus qu'à ça. Et je revis l'angoisse du secret complice comme ce fut le cas avec Armand !

Nous jasons de tout et de rien. Soudain, il dirige la conversation sur des sujets assez inusités: la religion, la foi et nos croyances en Dieu. Je n'avais jamais parlé de religion avec lui. Il enchaîne en me disant qu'après son opération, il a dû cesser toute pratique religieuse. N'étant pas ou à peu près pas capable de sortir à cause de son souffle, il n'avait pas revu de prêtre non plus. Vers dix heures, nous nous sommes couchés pour la nuit. Je ne pouvais pas dormir et toujours je me disais: «Je n'ai ni la compétence ni l'expérience voulues pour l'aider.» Contrairement à mon grand frère, je n'étais aucunement au courant de la maladie et des affaires d'Ovide.

Comme ils ont dû souffrir, sa femme et lui. Arrêt de vie normale, souffrances physiques, morales et psychologiques puisque tous les deux avaient dû cesser de travailler. Pourquoi cette terrible maladie ? Quand trouvera-t-on un remède au mal qui fait mourir ? Pourquoi notre famille en est-elle si touchée ? Qui sera le ou la quatrième ?

Et cette nuit-là, je n'ai que très peu dormi, me sentant accompagnée du spectre de la mort.

À mon réveil, j'entendais des plaintes. Ovide avait l'abdomen tout enflé. Sa vessie et ses intestins étaient bloqués. En me voyant, il me dit: «Marcelle, hier soir, j'ai cru comprendre que tu avais encore la foi. Veux-tu dire à Dieu que si je suis pour souffrir longtemps comme ça, qu'Il vienne me chercher au plus vite.» Je me sentais dépourvue de paroles et j'ai répondu: «Te sentirais-tu prêt à comparaître devant le bon Dieu ?»

Dans l'après-midi, une infirmière du service à domicile arrive à point pour remettre de peine et de misère le tout dans l'ordre. Elle me rejoint au salon, et, sachant qu'il ignorait la gravité de son état, me demande s'il avait une croyance particulière. Je la mets au courant de notre conversation de la veille et elle juge à propos de me dire: «Venez, on va lui en parler.» Elle lui parle doucement du sacrement des malades.

Ovide est consentant, mais sa femme non. Elle nous dit: «Personne n'est venu à notre secours depuis deux ans.

Moi, je n'appelle pas. Si Marcelle veut appeler, d'accord. Quant à moi, j'aime mieux ne pas leur parler.» J'ai saisi l'occasion pour qu'il voit un prêtre puisqu'il en manifestait le désir et le besoin. Il lui a demandé le sacrement des malades. À tour de rôle, il nous regardait comme dépassé semblant dire: «Est-ce que c'est la fin ? Qu'est-ce qui se passe ?» Ces minutes de silence collectif valent mille mots.

Je n'en ai plus pour longtemps à vivre !

Le lendemain, je sentis qu'il avait besoin de me parler de ses malaises. Il s'informait de la maladie d'Armand et de sa fin. Je me sentais parfois coincée. Je savais que c'était à sa femme de le mettre au courant, mais elle m'avoua qu'elle en était incapable vu le départ de ses frères et soeurs emportés par cette maladie qu'elle ne pouvait plus accepter à répétition. Ça lui faisait trop mal. Mais moi, en aurai-je le courage ? Faut-il vraiment que je lui dise ? Où est mon devoir ? Je me sentais dépourvue dans cette situation difficile. Comment lui parler de la maladie sans parler de la mort ? Et comment parler de la mort sans parler de Dieu ? Mon approche de Dieu était récente et je n'avais aucune notion théologique ou évangélique à lui transmettre. Je n'avais que mon coeur à lui offrir et une foi bien fragmentaire et personnelle en Dieu. J'attendis donc le moment propice avec une fébrilité hors de l'ordinaire.

Le lendemain, il revint à la charge et recommença à me parler de ses malaises qui le faisaient tant souffrir et qui l'empêchaient de se lever et de marcher. Il me disait: «Comprends-tu ça ? C'est pourtant au poumon que j'ai été opéré ! Comment se fait-il que j'ai mal partout et que je n'ai plus aucune force ?» Je saisis l'occasion et en pesant mes mots je lui ai répondu: «Ovide, ce sont tes os qui sont malades et qui te font si mal.» Et lui de reprendre: «Mais, Marcelle, si ce sont mes os qui sont malades, j'ai donc la même chose qu'Armand ! Ça veut dire que je n'en ai plus pour longtemps à vivre !»

Et le silence se fit ! Un silence de mort !

Le soir venu, il me confia qu'il n'avait pas reçu le sacrement de l'Eucharistie à la visite du curé et qu'il désirait le recevoir. Sa femme ne voulait toujours pas téléphoner au presbytère; j'ai dû le faire moi-même. Il attendait avec impatience l'arrivée du prêtre. Je sentais chez lui un réel besoin de cette Présence. Je l'ai vu après la communion, les deux mains appuyées l'une sur l'autre vers le ciel, tout comme lorsqu'il était jeune et revenait de la sainte table. Que de souvenirs ! Satisfait, il me regardait. La paix, la joie, le contentement et la libération se lisaient sur son visage. Lorsque le prêtre fut parti, il me prit les deux mains et les serra fortement. Tous ces instants se passent de commentaires. Avant son sommeil pour la nuit, il me confia qu'il n'avait pas de testament et me demanda de faire le sien. Sans réactions apparentes, mais toute bouleversée à l'intérieur, j'écris ses dernières volontés. Comme il a l'air soulagé et satisfait. «Une autre bonne chose de faite», me confie-t-il.

Afin de lui faire oublier ces lourds instants, j'essaie de diriger la conversation vers des choses plus gaies. Mais quelle sensation pénible de jouer ainsi avec la mort ! Elle attend pour surprendre la vie qui ne tient qu'à un fil ! Cette vie qui oscille comme ce vieux balancier d'horloge qui fonctionne parce qu'on le remonte. Un bon matin, la vie ne sera plus au rendez-vous et le balancier de métal fera place à la balance du bien et du mal. Ce sera l'heure de passer de vie à trépas. Finies les heures qui sonnent; finie cette course effrénée qui mène partout ou nulle part selon qu'on croit ou non à la vie éternelle; ce stress de vivre qui mène à la mort, cette inconnue qui demeure tenace à garder son mystère, cette briseuse d'amitié, de foyer, d'espérance, de buts, d'idéal, de joies partagées...

Il chante avec moi

Le lendemain, il va un peu mieux. Ovide appartient à cette race d'hommes conservateurs qui demeurent fidèles aux souvenirs de leur jeunesse. Il a gardé une affection particulière pour des chansons «western & country». Il cherche des titres, ramasse ses souvenirs et semble oublier son état, tout heureux de fouiner dans son passé. Subitement, je me rappelle avoir vu dans la chambre de ma nièce un petit orgue portatif pour enfant. Je cours le chercher et l'installe près du lit. À sa grande surprise, il découvre mes talents en musique. Et voilà que je lui joue ses airs favoris. Il me suggère ses titres préférés. Heureusement, je m'en souviens. Tout à coup, la joie transforme son visage et la métamorphose tant espérée s'opère. Il chante avec moi. Nos voix dépourvues de sonorité, supportées par ce petit clavier, semblent prendre une allure de fête. Comme deux enfants qui se laissent aller à leurs exhaltations, nos voix s'entremêlent et joyeusement nous continuons. Je tiens comme une revanche sur la vie, elle qui voulait lâchement lui fausser compagnie. C'est comme si nous voulions démontrer à la mort combien il lui serait difficile de déraciner tout un passé auquel nous étions tant attachés.

Ovide n'a pas les mêmes sentiments de revanche. Il jubile et je le vois tout heureux comme lorsqu'il avait 20 ans. Il est plein d'espoir. Avant que la fatigue ne le gagne, j'interromps ce duo improvisé afin qu'il se repose. Il me confie que ces instants de souvenirs lui valent bien des médicaments. Il me prend les deux mains et sans dire un mot, il les serre fortement. Un lien très intime se crée entre nous. Il veut sans cesse ma présence. Faut-il que la mort rôde pour réunir un frère et une soeur qui n'ont pas pris le temps au cours de leur vie de s'aimer et de partager ? Dommage ! Voilà pourquoi ces instants deviennent si précieux !

À la maison

Malgré son refus de me voir partir, tel que convenu, sept jours plus tard, je reviens vers les miens. Après mon départ, chose curieuse, il pouvait se lever plus facilement et souffrait moins. La famille comprenait difficilement pourquoi il avait empiré à mon arrivée et que son état s'était amélioré après mon départ. Au début, je ne comprenais rien non plus. J'ai finalement réalisé que je disposais de sept jours avec lui. Sept jours seulement. Les événements se succédèrent rapidement pour lui permettre de faire avec moi les préparatifs pour le grand départ. Pourquoi faire avec des étrangers à l'hôpital ce qu'il pouvait faire avec les siens à la maison et en parfaite lucidité ? Chez lui, il se sentait accompagné dans sa démarche vers la mort. Il se sentait moins fragile et vulnérable pour continuer d'avancer sur la route tracée d'avance mais inconnue.

Deux semaines plus tard, lors des funérailles, sa femme me disait: «Marcelle, je peux te dire que chaque chose a été faite en un temps bien précis et fort à propos. À l'hôpital, il n'aurait pas été capable de se préparer en aussi bonne compagnie et en toute lucidité, ni de prendre ses décisions de façon aussi libre et personnelle avant de nous quitter.»

Je me disais donc: «Mission accomplie !» J'avais reçu de mon grand frère une éducation de la foi bien primitive et précaire. À mon tour, je l'avais transmise à mon autre frère mourant. Après coup, j'ai constaté la réalité et mes yeux s'ouvrirent à la Lumière. Un catholique croyant et pratiquant se doit de ne pas l'être uniquement pour lui. La foi, l'amour, la joie, ça se partage. Jésus ne les a pas gardés pour Lui. Il est venu nous les transmettre.

Le malade se voit contraint d'accepter la mort, mais pour ceux qui restent, quelle brisure, quel souvenir, quelle vulnérabilité, quel mal atroce d'avoir été aussi impuissants durant le déroulement de la maladie ! À quand le jour où la science annoncera au grand public qu'elle a enfin trouvé la cause et le remède au cancer, ce fléau du siècle ?

Retour du printemps

Un frère décédé en janvier et un autre en mars 1977 ! Malgré les événements, le temps continue d'avancer. Nous voilà rendus au printemps. La sève commence à bouillonner dans les arbres. Les bourgeons sortent. Les oiseaux nous arrivent du sud pour annoncer cette merveilleuse saison porteuse d'un regain de vie. J'essaie d'oublier les derniers mois passés avec la maladie. Mai accoure à son tour avec ses jonquilles et ses pissenlits. Les pommiers fleurissent. Le printemps, emblème de la vie, redonne à la terre sa beauté, son éclat. Il arrive comme pour annoncer une bonne nouvelle.

Mais voilà que Dame nature en a décidé autrement ! C'est maintenant au tour de ma belle-mère de nous quitter. Trois décès en cinq mois ! Ça dépasse les limites de ma logique à moi !

L'incompréhension et la révolte gagnent peu à peu mes pensées. Ma foi redevient tiède. Je me contente d'aller à la messe le dimanche, beaucoup plus par tradition que par conviction. Surtout pour donner l'exemple à mon fils de 15 ans. Je recommence à douter de l'importance de m'accrocher à Dieu dans les moments difficiles de la vie. De toute évidence, quoiqu'il arrive, quoiqu'il advienne, tout est décidé, planifié à l'avance et je n'y peux rien ! Ni moi ni personne !

Si c'est ça... Merci !

Trois mois s'écoulent et voilà qu'à mon tour je ne vais pas bien du tout. Des troubles d'intestins me dérangent énormément. Je maigris à vue d'oeil. Mon intérêt pour les choses de la vie baisse démesurément. Je m'inquiète, mais je ne veux pas aller chez le médecin. Craignant le pire, je me dis: «Si c'est ça, je ne veux pas mourir à petit feu comme mes frères. Accepter une opération pour continuer à survivre au lieu de vivre. Souffrir, végéter et retarder la réalité de quelques mois ! Merci pour moi ! J'en ai assez des cancers !»

Dans ma soi-disant sagesse, je préférais la réclusion à l'opération. Toutes mes pensées devenaient négatives. Je me sentais vraiment désabusée, sans ressource et sans moral. La révolte gronde de plus en plus fort en moi tellement j'ai peur du cancer et de la mort. C'est alors que je me souvins des paroles d'Armand au sujet de ses «Ave Maria». Au moins trois... De toute façon, je n'ai rien à perdre; aussi bien mettre à l'épreuve cette méthode. En tous cas, ça n'empirera sûrement pas mon état.

Visite de l'Esprit-Saint

Le 23 août, je mets donc en application les conseils de mon frère. Pour la première fois depuis longtemps, je récite, non pas trois Ave, mais le chapelet au complet. Je le récite avec une confiance réelle dans la foi qu'il m'est possible d'avoir. Le lendemain, le Père Émilien Tardif, m.s.c., vient donner une conférence à l'église paroissiale. Je ne le connais pas mais j'en ai entendu parler comme d'un prêtre ayant un certain don de guérison. De nature fort incrédule, je m'y rends sans conviction et sans espérance. La messe suit la conférence. Après l'Eucharistie, il fait une prière sur la foule et par la puissance de cette Eucharistie, il impose les mains sur les malades comme le fit un jour Jésus. Il demande à Dieu de guérir nos corps et nos âmes, de nous changer et de nous transformer.

À un moment donné, je ne comprenais pas ce qui se produisait. Mes jambes avaient peine à me soutenir et je devins d'une extrême sensibilité intérieure. Je goûtais en même temps une paix du coeur et du corps par une douce chaleur intérieure. Il disait que des personnes recevaient des guérisons physiques et spirituelles. Il voit cela, paraît-il, par le don de science. Ne le connaissant pas, je le prends un peu pour un charlatan. Pourtant, je me dois d'admettre que je me sens drôlement bien et que mon corps demeure détendu. Je suis bien, mais je résiste à ce bien-être. Je suis ébahie, dépassée. Je sens qu'il se passe quelque chose. Je suis là sans y être. Je suis éberluée, apportant toute la résistance possible afin de ne pas croire à ce qui se produit. Je veux surtout rester en possession de mes moyens.

Lorsque les gens partirent, je suis demeurée seule dans mon banc, pleurant de joie, comme libérée de tout. Je ne voulais voir personne autour de moi. Quelqu'un est venu s'informer et voulait m'envoyer le Père Tardif. Je ne voulais pas le voir, ni lui parler, mais déjà il était là près de moi. Je lui ai dit que je ne savais pas ce qui m'arrivait. Il m'a répondu: «Ce n'est rien de bien inquiétant. Bien au contraire, c'est tout simplement la visite de l'Esprit-Saint.» Pour un Esprit que l'on ne voit pas, il fracasse drôlement et avec puissance. Il ajouta que j'étais sûrement guérie dans mon coeur et dans mon corps. Je suis revenue chez moi estomaquée, dépassée et ne comprenant toujours rien. Tant bien que mal, j'ai raconté à mon mari ce qui s'était passé. Réactions contraires aux miennes ! Lui semble y croire ! Double dépassement !

Impossible de dormir, toutes ces émotions vécues me reviennent sans cesse. Chose curieuse, je me sens toujours très bien dans tout ça. Je n'ai pas dormi de la nuit, mais je me suis levée reposée comme après une bonne nuit de sommeil. La responsable du groupe de prière m'a offert d'aller voir le Père Tardif. Elle me connaissait comme une personne à qui elle avait donné la réputation et la renommée d'être une incrédule hors pair. J'acceptai. Durant une heure, il essaya de m'expliquer de par ses dons et charismes ce qui s'était passé. Je refusais toujours aveuglément d'y croire, mais ça m'intriguait quand même. À ma sortie, il a même dit à sa soeur: «Celle-là, j'aimerais que tu me donnes de ses nouvelles. J'ai peur qu'elle refuse sa guérison tellement elle est sceptique.»

Ma transformation physique et spirituelle

À ma grande surprise, le soir venu, j'ai senti un immense besoin d'aller à la messe sur semaine. Je buvais les paroles de la célébration eucharistique. C'était comme une source d'eau à laquelle je ne parvenais pas à étancher ma soif. Pour la première fois, comme la messe me paraissait courte ! De retour à la maison, j'étais curieuse d'aller fureter dans la Bible. Je coupais au hasard et j'arrivais toujours sur des passages de guérison. Ça me réconfortait et ça m'agaçait en même temps.

Ce fut finalement du soir au lendemain une vraie transformation physique et spirituelle. L'assistance à la messe m'interpellait. Je commençais à être capable d'exprimer des prières spontanées, à laisser parler mon coeur en toute simplicité. C'était comme si une ligne téléphonique s'était installée entre ciel et terre uniquement pour moi. Oui, une ligne privée qui n'était jamais occupée et Dieu écoutait toujours. Comme j'en avais des choses à lui dire ! Comme j'en avais des choses à apprendre ! Enfin, j'essayais de Lui parler comme à un père et à Jésus comme à un ami.

Les homélies qui jusqu'alors m'ennuyaient devenaient source de nourriture. Oui, j'avais faim, j'avais soif de la Parole de Dieu, de l'Eucharistie. J'étais captivée, intéressée à en savoir plus long et toujours davantage sur Jésus. Je voyais les gens d'un autre oeil; alors qu'avant il était critique, maintenant il devenait plus conciliant. J'ai commencé à m'accepter telle que j'étais. Quant à mon physique, tout est redevenu normal et dans l'ordre. Je n'aimais pas parler de cette transformation à n'importe qui. Mon respect humain faisait que j'avais peur de passer pour une exaltée. Là où je témoignais, c'était dans des endroits choisis où les gens pouvaient comprendre. Quant à ma famille, personne n'en a rien su, sauf un de mes frères et une de mes soeurs. D'ailleurs, ils n'étaient pas au courant de mes malaises d'avant ma transformation. Ils n'auraient rien cru et auraient peut-être ridiculisé Celui en qui je croyais. J'ai vite réalisé que nul n'est prophète dans son pays.

Puis arriva l'Avent. Pour la première fois de ma vie, Noël représentait vraiment la fête de Jésus et non celle de tout le monde. La pauvreté de sa Naissance prenait enfin un sens à mes yeux. Quel exemple de détachement ! Comme on a déformé la royauté de Jésus en l'installant dans de vrais royaumes du monde. Noël, c'était enfin la fête de l'amour dans mon coeur. Par cette naissance nous arrivait un Sauveur, une Alliance, un rachat, une Résurrection, une promesse de Vie Éternelle. À tous les jours, ça devrait être Noël.

Tout au cours de l'hiver, j'étais avide de lire des volumes à caractère spirituel. Ces volumes comblaient mon manque de connaissances théologiques et m'aidaient à mieux comprendre les données de l'Ancien et du Nouveau Testament grâce à des paroles toutes simples et par du vécu. Ces lectures continuaient à nourrir mon coeur des choses de Dieu.

Le Carême, à mon avis, avait toujours été une période difficile et astreignante à vivre. Mais à ma surprise, je l'ai vécu dans la plus grande découverte. Un livre tout simple m'a rejoint littéralement pendant toute la durée du Carême. **Ma vie, c'est le Christ,** voilà le livre en question. J'ai médité sur la Passion du Christ, sur sa mort et sur sa Résurrection. Quelles découvertes !

Je comprenais maintenant mieux le rôle du Père, du Fils et de l'Esprit-Saint. Sans le réaliser, et dans une paix incommensurable, j'étais en toute naïveté à l'école de Dieu, en plein cheminement spirituel. Lui m'enseignait et moi, je répondais à la grâce docilement. J'étais à l'école de la foi et plus ma connaissance de Dieu et de sa Parole grandissait, plus je trouvais son histoire belle, grandiose même, tout en étant simple et à ma portée. Sans aucun doute, je peux dire que cette période de ma vie a été un rêve vécu dans la réalité. Toujours, j'ai partagé cette nouvelle Alliance avec mon mari. Spirituellement, il y croyait, la respectait sans la ridiculiser. Bien au contraire, il la partageait avec grand intérêt mais continuait son cheminement à sa façon.

Une journée inimaginable au chalet

Au cours des vacances de l'été, j'allais souvent à notre chalet situé sur le bord d'une rivière. Je m'y trouvais isolée de tout et de tous dans la nature la plus merveilleuse. J'étais à cueillir des fraises des champs lorsque pour la première fois je réalisai avec quelle ingéniosité Dieu avait fait les choses, tous ces fruits délicieux et cette forêt gigantesque surveillée discrètement par ce panorama sans pareil teinté de rose, de bleu et de blanc ! C'était comme si j'avais été aveugle pour un certain temps et que ma cécité avait cessé subitement. Cette multitude d'arbres que je croyais voir depuis de nombreuses années me dévoilaient soudainement leur réelle beauté féerique. Tous ces arbres symbolisaient à mes yeux les êtres que nous sommes. Tantôt fiers de notre stature et forts, tantôt faibles et heureux d'être soutenus. Je partais de là pour me situer dans l'arbre de vie du Corps Mystique qu'est l'Église. J'entendais le roucoulement de l'eau, ce va-et-vient continuel et longtemps, longuement j'ai comtemplé, essayant de trouver une signification ou symbole à tout ce que je voyais. Mes yeux se rivaient au plafond de la vie. Comme c'est immense ce firmament qui subtilement nous cache la vision de Dieu !

Après toutes ces rêvasseries, que de beautés et de mystères je découvre en si peu de temps ! Mes idées se bousculent pour faire un tout, un ensemble, un paysage qui s'installe dans ma mémoire au cas où il s'aviserait de s'éclipser un jour. Dommage que je sois seule pour tout contempler. Je me lève d'un bond pour crier de joie, pour partager ces beautés avec d'autres, mais j'étais seule ! Seule devant pareille découverte. Un petit oiseau faisait aller ses cordes vocales du mieux qu'il pouvait. Longtemps, oui longtemps, j'ai jasé avec lui. Je parlais, il se taisait. Je faisais silence, il chantait !

Comme j'étais heureuse ! Comme la vie devenait belle et valait la peine d'être vécue ! Après ces découvertes inimaginables, j'ai sorti ma chaise longue et comme Dieu le fit le septième jour, je me suis reposée. Comme Lui, j'ai vu et j'ai dit: «Que cela était bon.»

Du même coup, je découvrais que les choses naturelles extérieures peuvent être rapportées aux choses spirituelles intérieures. C'est la seule façon de comprendre quelque chose, parce que tout ce qui est divin est incompréhensible ou très difficile à comprendre pour un profane. En partant de quelque chose d'accessible à mes yeux et à ma compréhension, je peux alors transposer.

D'ailleurs si l'on se base sur le Nouveau Testament, c'est ce que Jésus a fait durant sa vie publique. Il s'est servi de paraboles pour mieux se faire comprendre de ses apôtres et de ses disciples. Cependant il Lui arrivait d'ajouter: «Que celui qui a des oreilles pour entendre, entende.» ou encore: «Vous ne pouvez comprendre car votre esprit est bouché.»

J'aime tout particulièrement les paraboles parce qu'elles se rattachent au vécu, au visible.

La foi

La foi n'est pas une croyance que l'on impose. Elle est un don de Dieu. Ne la possède pas qui veut, mais qui répond à la grâce.

La foi n'est pas uniquement une affaire de raison. Si je n'ai que ma raison, j'aurai beau analyser les choses pour découvrir Dieu, je n'y parviendrai jamais. La raison me fait passer d'une observation à une conclusion. La foi est une croyance en des convictions, des êtres ou des choses sans avoir pour autant besoin de les établir avec preuves à l'appui. Elle est une certitude, une réponse au pourquoi. Donc, si la foi n'est pas une affaire de raison, serait-elle alors une affaire de coeur ? Si j'ai vraiment la foi, je n'en chercherai même pas la provenance. Je me contenterai de dire que c'est une attitude venue d'une poussée intérieure qui conduit à l'espérance et à l'amour envers Celui qui de toute évidence l'a fait germer et fleurir dans le coeur de tous les humains.

Notre conscience, cette faculté de moralité reçue du Créateur est peut-être cet excellent ordinateur qui, après en avoir reçu la programmation, en arrive à donner au détenteur la croyance positive ou négative face à Dieu, à un événement à vivre ou à une situation donnée. Le chrétien a tendance à vouloir beaucoup d'autonomie, à abuser de sa liberté. Il apporte des modifications à la programmation et va jusqu'à ne pas faire confiance à son ordinateur attitré. C'est ce qui m'est arrivé après la prière et l'imposition des mains par le Père Tardif dans l'église. J'acceptais l'idée qu'il s'était produit quelque chose, vu le bien-être que j'avais ressenti, mais je refusais d'y croire. Même si ma raison, de par son analyse, essayait d'en venir à une autre conclusion, malgré mes réticences, la grâce était là, présente, manifeste, agissante. Elle était plus forte que mes sentiments humains.

D'où me venait donc cette certitude à laquelle je me refusais ? Nul doute qu'elle venait de la Puissance Eucharistique ! Cette rencontre de la Présence divine du Créateur et de sa faible créature ne faisait que confondre mon impuissance en sa miséricorde, ma petitesse en sa grandeur, mon désabusement en sa paix et en sa joie, mon repliement en son Amour. Ces deux présences fusionnées l'une dans l'autre étaient le moment le plus intime et le plus profond de la célébration Eucharistique: «Prenez et mangez-en tous, ceci est mon corps.»

C'est au moment de l'Eucharistie qu'il y a eu fusion d'amour. C'est là que j'ai senti et goûté cette union intime de la Présence réelle de Dieu. Et à ce même instant bien précis, le Père Tardif faisait la programmation à l'Ordinateur du Père Éternel, de la guérison de mon coeur et mon corps. C'est cette même union d'amour par la puissance de l'Eucharistie qui a su toucher le coeur de Dieu. Dieu a profité de ma faiblesse, de ma vulnérabilité face à ma situation pour me prouver qu'Il était là, l'Accompagnateur Éternel de la vie de sa petite créature. C'est avec la foi que j'ai pu croire en cette dimension divine en moi. C'est avec la foi que je me suis relevée et que j'ai pu continuer à vivre allégrement en disant: «Si Dieu est avec moi, qui sera contre moi ?»

La foi malheureusement n'est pas une chose qui s'installe et demeure au même degré d'intensité. Il y a des montées et des descentes, des exubérances et des tiédeurs, des clartés et des ténèbres qui se vivent tour à tour, et ça j'en suis témoin. Aux incroyants, j'ajouterai ceci, la même réponse qu'un jour j'ai apportée à un bon prêtre de Dieu qui n'était pas toujours en accord avec les résultats qu'apportaient la fréquentation du groupe du Renouveau charismatique.

Je lui ai dit: «Monsieur l'abbé, vous dites que vous ne croyez pas aux miracles. Moi non plus ! Vous dites également que s'il se produit des résultats hors de l'ordinaire, ils ne peuvent se produire que par des facteurs psychologiques ou psychiques et vous n'osez pas ajouter mentaux ! Peut-être est-ce parce que votre foi en est une qui analyse, qui raisonne, qui enchaîne la liberté de Dieu, alors que Lui, cet Être Suprême, respecte et la vôtre et la mienne. Pour moi, peu importe la provenance de ce que vous venez de me décrire. Ce que compte à mes yeux, ce sont les résultats de qualité de vie spirituelle et corporelle que ça m'a apportés. C'est cette paix, cette joie que nul ne peut m'enlever parce qu'elles viennent de Dieu. Je ne dis pas que j'ai obtenu une guérison ou un miracle, mais que Dieu m'a gratifié un jour d'une grande transformation. Et cela me suffit ! Quoi que vous en pensiez, monsieur l'abbé.»

Croire, c'est voir avec les yeux de la foi.

Croire, c'est entendre avec les oreilles du coeur.

Croire, c'est aimer inconditionnellement.

Bénévolat et vie intérieure

1980. Depuis quelques années, j'ai cessé de travailler à l'extérieur. De tempérament actif, mon public me manque et je compense par du bénévolat auprès de tous les organismes paroissiaux. À tour de rôle, j'accepte la présidence de ces mouvements. Je caressais le projet d'un livre de recettes par les fermières et je l'ai mis à exécution. J'ai également été coordonatrice du volume du 75ième anniversaire de ma paroisse. Jamais je n'aurais cru que ces expériences pourraient me servir un jour.

Durant ces années de dévouement, occupée comme j'étais, je ne disposais que de très peu de temps pour Dieu. Comme l'esprit est prompt et la chair est faible ! Comme ma foi était chancelante et fragile, un tout et un rien me dispensaient d'elle. Mais dans la grande liberté que Dieu donne aux hommes, Il m'attendait longanimement à une intersection de ma route.

J'étais demeurée fidèle aux réunions du Renouveau charismatique qui me servaient de tremplin. Après sept ans de cheminement, je sentais le besoin d'une autre forme de spiritualité. Je décide donc de me joindre à un groupe qui fait de l'intériorité chrétienne silencieuse. Ce regain de recherches intérieures plus approfondies répondait à mes besoins et à mes aspirations. Comme le silence vaut mille mots, comme il détend au lieu d'angoisser, il est temps que j'apprenne à dire: «Parle, ton serviteur écoute.» Je crois le temps venu de cesser tout activisme et d'apprendre à vivre dans le repos.

Pour vraiment me changer les idées face au public et à la maladie, nous décidons de redécorer la maison. Peinture, tapisserie, tout y passe. Aimant beaucoup l'artisanat et la créativité, je recouvre à neuf mes abat-jour et mes lampes. De nouvelles jardinières font place aux anciennes. Bref, une nouvelle vue s'offre à nos yeux. Satisfaite et heureuse, je trouve la vie belle à nouveau. Je peux enfin vivre un bonheur tout simple qui me satisfait amplement. J'ai enfin tout oublié ou presque de la maladie de mes deux frères et je jouis toujours de ma transformation intérieure.

Une anomalie au sein droit

Janvier 1983. Depuis un certain temps, en faisant l'auto-examen de mes seins, j'ai l'impression d'avoir une anomalie dans le sein droit. Donc, sans trop manifester de craintes apparentes, je demande un rendez-vous chez mon médecin. En route vers son bureau, vers huit heures du soir, une automobile me suit de très près et une lumière rouge se met à clignoter. Je crois que c'est une ambulance. Je laisse donc le passage libre, mais elle ne passe toujours pas. Je roule lentement quand la sirène se met à crier à m'en faire sursauter. Je réalise alors que je suis poursuivie par la police depuis mon départ pour ne pas avoir bouclé ma ceinture de sécurité.

Arrivée au bureau, j'ai peine à maîtriser mes réactions. C'est ma première infraction. Je demeure tendue et crispée parce que la peur que j'ai subie ne se dissipe pas. Pour combler le tout, contrairement à l'habitude, je n'ai pas à attendre, c'est déjà mon tour. On m'invite à passer au bureau du médecin sans que j'aie pu reprendre tous mes esprits. J'ai peine à me souvenir du pourquoi de ma visite. Le médecin m'examine les deux seins et voit par mon dossier qu'un an auparavant, il y avait eu mammographie. À ma grande joie, il diagnostique de la dysplasie mammaire causée sans doute par la ménopause. Il continue de m'expliquer que ce n'est qu'une simple bosse de graisse. D'ailleurs, selon lui, j'en avais plein les deux seins. Ce qui dans mon cas ne représentait aucune gravité, toujours selon ses dires. Pour conclure, il me dit: «Ne vous inquiétez de rien et allez en paix.» Je ne pouvais pas recevoir meilleure bénédiction et je ressors de son bureau rassurée, faisant parfaitement confiance à mon médecin.

De retour à la maison, mon mari me taquine au sujet de mon infraction au code de la route. Nous partageons notre joie, car nous nous souvenons de l'opération pour la tumeur bénigne. Je me sens rassurée. Un grand soulagement et une détente profonde se font sentir en moi. Ils déclenchent en nous un débordement d'enthousiasme et de vitalité. Nous avons l'impression qu'un regain de vie apparaît à l'horizon.

J'avais toujours un doute

Tout au cours de l'année qui suivit, même si mon médecin m'avait rassurée, j'avais toujours un doute et je trouvais que la soi-disant bosse de dysplasie demeurait tenace et continue. Habituellement, ça diminue et augmente en intensité. De plus, elle était d'une autre sensibilité que celles avoisinantes. Une nuit, alors que mon mari dormait, il s'est levé un bras et inconsciemment celui-ci est tombé de toute sa pesanteur sur mon sein ! Vous dire comme ça réveille brutalement, ça ne se décrit pas !

J'avais la sensation douloureuse d'avoir à l'intérieur de mon sein des filaments piquants qui, au choc de la pesanteur du bras, se sont écrasés et retroussés tout autour du sein. Il me semblait que je les sentais se déplacer comme s'ils avaient eu des pattes. Un mal atroce et intense qui a diminué pour finalement disparaître. Inutile de vous dire que je n'ai pu retrouver le sommeil ! Il faut le vivre pour savoir à quel point la douleur vous tient dans l'angoisse.

À partir de ce moment, j'avais la conviction que quelque chose d'anormal se passait à l'intérieur de mon sein. Je voyais venir à grands pas les fêtes et je ne voulais pas me faire opérer une deuxième fois à l'approche de Noël. J'essayais de faire l'autruche et de me persuader que je n'avais rien. Pour oublier et me distraire, je voulais fêter Noël avec éclat, comme pour m'étourdir. Je voulais voir du monde heureux autour de moi.

Seuls les jeunes de ma paroisse n'avaient pas une fête sociale à leur intention à l'occasion des fêtes. Avec le Mouvement des Femmes Chrétiennes que je dirigeais, nous leur avons organisé un vrai banquet du temps des fêtes. Nous avions une centaine de jeunes convives. La communauté paroissiale les réunissait pour la première fois. Nous avions semé de la joie dans le coeur des jeunes, et pour moi, c'était comme une échappatoire pour oublier mes inquiétudes face à ma bosse. Je voulais vivre. Vivre pleinement, goûter et faire goûter la joie ! Une sorte de défoulement pour me prouver que ma santé se portait bien !

À la maison, j'ai essayé de me dépasser. Les idées originales ne manquèrent pas, autant pour les décorations que pour la préparation des repas. Seul mon mari connaissait mon état à ce moment. Je n'ai refusé aucune invitation durant cette période des fêtes. Personne n'a pu soupçonner que je ne me portais pas bien et qu'une bombe à retardement pouvait se trouver dans mon corps !

J'obtiens un rendez-vous chez le médecin pour le 15 janvier. À maintes reprises, lorsque je suis inactive devant la télévision, un élancement sournois se fait sentir à l'endroit où se trouve l'excroissance. Suffisamment pour me faire sursauter. Inutile de dire que le rendez-vous se fait attendre avec anxiété. J'arrive donc au bureau du médecin pour un nouvel examen. Même scénario. Même diagnostic. J'ai des bosses dans les seins, mais ce n'est pas de la dysplasie due à ma ménopause. Je perds contenance et je dis au médecin: «Si je n'ai pas une bosse anormale à traiter au sein droit, aussi bien vous dire que je ne suis pas dans votre bureau !»

L'attente d'un rendez-vous

Après examen, il constate que j'avais besoin d'être rassurée. Il suggère la mammographie à l'endroit de mon choix. J'ai choisi une clinique du sein. Je veux au moins me payer le luxe, advenant le pire, d'avoir un chirurgien avec la compétence voulue et en qui j'aurais pleine confiance. Il me donne le numéro de la clinique en me disant: «Ne vous inquiétez pas madame Giguère. C'est seulement une petite bosse de graisse. Ils vont vous faire une ponction de sorte que le liquide va se rendre dans la seringue et votre bosse disparaîtra.» Et moi de lui répondre: «Puissiez-vous dire vrai docteur. Dans mon sein gauche, j'ai des bosses de dysplasie, mais dans mon sein droit j'ai une bosse anormale. J'en suis convaincue.» Une explication difficle à donner, mais c'est comme un pressentiment qui ne peut mentir et qui ne parvient pas à se dissiper. Seules les opérées du sein peuvent me comprendre.

Dès mon retour à la maison, je téléphone à la clinique. On me répond que tout est complet pour janvier: «Rappelez le premier février.» S'il faut qu'il y ait une tumeur grave, tout retard favorisera l'évolution de la maladie ! La clinique me donne enfin un rendez-vous pour le 28 février. Encore un mois d'attente. Comme ce sera long ! Seuls mon mari et une de mes belles-soeurs sont au courant des rendez-vous. Je leur ai dit: «Si vous voulez, nous ne parlerons de cela à personne. Je ne veux pas que ça devienne le seul sujet de conversation dans la maison. Inutile de nous affoler. Si je n'ai rien, l'énervement nous aura servi à quoi ? Par contre, si c'est grave, nous aurons bien le temps de nous affoler et de nous énerver en temps voulu.»

Le mois le plus court de l'année me paraît le plus long de ma vie. Les heures semblent marcher à reculons. Rien ne parvient vraiment à m'intéresser. Même si j'essaie d'oublier, cette idée m'obsède toujours. Ma pensée se fixe sur le résultat de la mammographie: positif. Pour essayer d'oublier, je commence à tricoter des pantoufles en laine. J'en ai fait au moins quinze paires. Mon crochet et mes broches n'ont jamais travaillé aussi vite et aussi nerveusement. J'occupais mes mains à autre chose, mais mon idée ne voulait pas décrocher ! «Ai-je le cancer ?»

Étant responsable du M.F.C., je préside l'assemblée comme d'habitude. Je dois jouer le jeu pour y parvenir, car au fond de moi-même, je crains que ce ne soit ma dernière assemblée. Le mois de février nous apporte la Saint-Valentin, la fête de l'amour. Forcément mon mot de bienvenue se doit de faire allusion à l'amour. Comme j'aurais aimé leur parler plutôt de la santé, des ses bienfaits, du bien-être qu'elle apporte. Également, j'aurais voulu leur parler de son instabilité, de sa fragilité. Leur dire que du jour au lendemain on peut devenir très malade ou invalide et impuissant devant la maladie. Leur suggérer d'oublier leurs petits malaises passagers et de prendre un instant d'arrêt pour penser à ceux et celles qui sont aux prises avec des maladies incurables et parfois mortelles. Mais je sais qu'elles ne pensent aucunement à ces problèmes présentement puisque rien de grave ne se pointe à l'horizon. C'est pourquoi je me contente de mon mot de bienvenue sur la Saint-Valentin.

J'ai vécu le mois de février dans des inquiétudes de toutes sortes. Mauvaises nouvelles sur mauvaises nouvelles semblent être complices pour accentuer la tension face à l'attente. Vous avez connu de ces périodes où tout n'arrive qu'à vous où vous vous demandez quelle autre brique vous tombera sur la tête ? Un jour, n'en pouvant plus j'ai tout confié à une amie. Elle se montra très surprise, se demandant comment autant de situations difficiles pouvaient arriver à la fois. À ma façon d'agir, elle n'aurait jamais pu deviner mon état d'âme. Voyant mon bouleversement et sachant que je n'avais pas l'habitude de me plaindre, elle comprit que j'en avais tout simplement assez.

Le 28 février arrive enfin ! La veille, aux nouvelles, on annonce une grosse tempête pour le lendemain. Advienne que pourra. Je demande à mon mari de me conduire à la clinique malgré la température. Ça suffit de tourner le fer dans la plaie. La minute de vérité est arrivée.

Toujours la veille, vers sept heures, je pense aller communier à l'église, mais la paresse me gagne. Je décide donc de rester à la maison et je me contente de lire la messe dans le **Prions en Église**. Je ne parviens pas à lire une seule ligne. Tout ce qui me vient à l'esprit, le voici: «Seigneur, s'il est possible, que ce calice s'éloigne de moi, mais que ta volonté soit faite et non la mienne.»

J'ai beau essayer d'oublier, de me concentrer sur ma lecture, la même phrase me revient sans cesse à l'esprit. Sans trop m'en douter, ou plutôt en étant trop certaine, j'avais la réponse à ce qui allait se passer. Même dans ces moments, l'espérance domine toujours. L'Esprit est prompt et la chair est faible. La foi devient élastique, On croit et on ne croit plus. Et notre imagination en travaille un coup !

«Père, s'il est possible que ce calice passe sans que je ne le boive.»

Soudain. mes yeux s'arrêtent sur une page du **Prions...** C'est une prière pour le temps des maladies.

«Ô Père, je n'ai point de force, mais j'ai la tienne.
Me voici: travaille en moi, **taille et coupe**,
soulève-moi ou laisse-moi toute seule,
je ne te ferai jamais l'injure d'avoir peur
ou de croire que tu m'oublies;
et si je trouve la croix très lourde
et que je n'y voie plus,
je pourrai du moins te répéter inlassablement
que je crois à ton amour
et que j'accepte ta volonté[1]...»

Toutes ces paroles me saisissent de tristesse et de réconfort en même temps. J'aurais voulu les relire du fond du coeur avec conviction, mais je ne pouvais pas. Pourquoi cette prière arrive-t-elle sous mes yeux en pareil moment ? **Taille et coupe**: je n'ai jamais vu auparavant de prière semblable, et aujourd'hui, je peux dire que je n'en ai pas revue. Pourquoi me faire voir la réalité en face ce soir ? Demain n'aurait-il pas suffi pour me rendre à l'évidence ?

Je me suis dit pour me convaincre moi-même: «Toutes les personnes qui liront cette prière ne vivent pas ce que je vis et ne se l'approprient pas. Pourquoi prendrais-je cette lecture à mon crédit ?» Je ne voulais pas croire que c'était exactement ce qui allait se passer; j'ai tenté d'oublier. Une fois de plus, j'ai fait l'incrédule en me disant que ce n'était pas pour moi.

La clinique du sein

Le lendemain matin, la tempête n'était pas encore commencée, de sorte qu'à dix heures, j'entrais à l'hôpital. Des gens vont et viennent en tous sens au rond-point des trois corridors. Des gens qui marchent, des gens en chaise

1. Pierre Lyonnet, **Seigneur, mon Espérance**, Coll. «Paroles pour prier», Novalis, 1981.

roulante, d'autres sur des civières, et tous semblent être dans un état d'attente. Attendre, comme il faudra m'y conditionner, m'y soumettre ! Pour me détendre, je monte l'escalier qui mène au secrétariat de la Clinique du sein. La secrétaire me fait remplir un paquet de formalités habituelles et m'invite à m'asseoir dans la salle d'attente.

J'entre en me faisant toute petite afin que personne ne me remarque. Face à l'entrée, une tapisserie attire mon attention. Elle représente un casse-tête de couleurs bleu moyen et beige. Pourquoi mettre sous nos yeux la réplique de notre état d'être ? Et en plus un casse-tête avec des morceaux bien définis qui s'encastrent bien l'un dans l'autre !

Quel contraste avec mon casse-tête ! Tout éparpillés, indéfinis, mes morceaux ne parviennent plus à s'emboîter les uns dans les autres. Les couleurs si ternes et sombres ne me font voir que du gris. J'ai peur de perdre une pièce importante de mon casse-tête. Sera-t-elle à jamais irremplaçable ? Déformera-t-elle la beauté de l'ensemble ou s'habituera-t-on à sa nouvelle image ?

Au centre de la salle, sur une table, des feuillets sur le cancer, des dépliants sur la prévention et quelques revues sont à la disposition des patients. Qu'a-t-on besoin de prévention, de sensibilisation, lorsqu'on se réveille avec la triste réalité ? Ils me répugnent tout simplement !

J'ose regarder à droite et à gauche. Mon regard se pose sur chaque patiente que je vois et je me pose des questions à leur sujet.

«Est-ce que celle-ci en est à la première rencontre ? Non, elle semble trop calme; elle a l'habitude des lieux ! Celle-là, son sein est-il déjà parti ? Non, elle paraît avoir les deux seins identiques ! Cette petite me paraît à l'aise... Elle est probablement ici pour un simple examen de contrôle pour vérifier si la bête noire s'éloigne tranquillement d'elle. Cette autre me semble bien nerveuse... Sans doute qu'elle est venue pour recevoir un traitement de chimiothérapie...»

On m'offre un café que je refuse tout simplement et je continue d'analyser les expressions des gens dans la salle d'attente.

En face de moi, se trouve une jeune femme de 25 ans environ, assise à côté de son mari dont elle tient continuellement les mains. Aucune parole ne sort de leur bouche. À tout instant se croisent leurs regards de compréhension et de dépassement qui en disent long. Les larmes sont tellement près qu'un seul gros soupir pourrait les faire éclater. Que de tristesse dans le regard de ce jeune couple ! La nature vient peut-être d'éteindre à jamais cette lueur d'espoir en la vie. Comme elle, sans doute, j'ai l'impression d'être un peu condamnée injustement. Comme elle, j'ai l'impression d'attendre ma sentence pour une faute que je n'ai pas commise. Comme elle, j'aimerais avoir mon mari à mes côtés pour me remonter le moral !

Je me disais malgré mon anxiété que les dernières minutes d'attente que je vivais étaient peut-être les plus heureuses de ma vie puisque la preuve irréfutable n'était pas encore établie. Par contre, au fond de moi, j'espérais encore n'avoir rien de grave et qu'à partir d'aujourd'hui, une nouvelle vie intéressante s'offrirait à moi. Cette période de cauchemars de deux mois d'attente m'avait été profitable puisque j'avais eu le temps de réfléchir sur la valeur de la santé, de mon bien-être, de ma vie.

Bénin ou malin, il faut que ça parte

Je réalisais que plus les minutes s'accumulaient, plus je m'approchais du diagnostic, de la sentence, de la vérité. Enfin, mon tour arrive. Au bout d'un long corridor, dans une salle sur ma gauche, une femme médecin m'attend. Immédiatement je me sens à l'aise avec elle. Sans préambule, elle me fait déshabiller. C'est la première fois que je le fais devant une femme. Au moins, elle ne remarquera pas mon apparence ! Elle procède sans tâtonnements à l'examen.

Elle me dit: «Il y a bel et bien une bosse ici. Je vais vous faire une cytoponction à l'aiguille fine. C'est-à-dire que j'insérerai une aiguille avec seringue dans votre bosse et je vais aller chercher du liquide. Si ce n'est qu'un kyste, le liquide viendra dans la seringue et la bosse disparaîtra tranquillement. Vous en serez quitte pour une bonne frousse.»

À son avis, la seringue ne peut pratiquement rien aspirer. «J'arrive, dit-elle, sur une masse dure, solide. De plus, j'ai très peu de liquide. Juste assez pour l'analyse. Bénin ou malin, il faut que ça parte. D'une manière ou d'une autre, il vous faut passer par l'opération. Je vous transfère à un chirurgien qui va s'occuper de vous. Il va vous recevoir immédiatement.»

Est-ce un traitement de faveur ou si vraiment l'on commence à s'occuper de moi ? Voir un médecin sans rendez-vous, est-ce là un privilège réservé aux cancéreux ?

Même si je m'attendais à ce dénouement, la confirmation du médecin m'a bouleversée et atterrée encore davantage. Je suis restée dans le corridor pour boire un café, car ma gorge était sèche. Et j'ai marché de long en large sans arrêt durant une bonne heure jusqu'à l'arrivée du médecin. Je ne voulais pas retourner dans la salle d'attente avec les autres. Je savais qu'à leur tour, ils scruteraient mon visage. Déjà, je me sentais à part des autres, comme marquée du sceau du cancer ! Ils pourraient lire sur mon visage à quel point j'étais dépassée, le vide de mes yeux fixés par la peur et l'angoisse.

À gauche du corridor, des femmes allongées sur des lits, bonnet sur la tête, seringue au bras recevaient sans doute de la chimiothérapie intra-veineuse. Plus mes yeux s'ouvraient à la réalité, plus l'atmosphère devenait insupportable. Au bout d'une heure, le docteur Deschênes me recevait. Après examen, il ne fit que confirmer les dires de sa collègue. Il fallait que ça parte !

— Avez-vous quelqu'un dans votre famille qui a eu le cancer ?

— J'ai deux frères qui sont décédés du cancer du poumon; une soeur qui s'en est bien sortie; maintenant, je suis la quatrième. Vous ne trouvez pas que c'est un fort pourcentage ? 25% dans ma famille !

— C'est donc dire que vous étiez seize enfants ?

— Oui. Dix filles et six garçons.

— Dans vos antécédents, avez-vous des cas de cette maladie ?

— Oui, la mère de mon père décédée à l'âge de 49 ans. Croyez-vous que nous aurions pu hériter de cette maladie de notre grand-mère ?

— Vous et votre soeur, il se peut que ce soit le cas. Quant à vos deux frères, la cigarette en est sans aucun doute la cause. Qui s'est aperçu que vous aviez une bosse ?

— C'est moi-même voilà un an.

— Comment se fait-il que vous n'ayez pas bougé avant aujourd'hui ? Vous savez qu'il vaut mieux prévenir que guérir avec cette maladie. Ce n'est pas pour rien qu'il existe des cliniques de prévention. Avez-vous été voir un médecin ?

— Voilà deux ans, j'ai passé une mammographie qui se révéla négative. Il y a un an, j'ai consulté mon médecin pour lui dire que j'avais une bosse dans le sein. Il m'a rassurée en disant de ne pas m'en faire, qu'il ne s'agissait que de dysplasie mammaire. Cette année, à la même période, j'y suis retournée en insistant avec certitude. À nouveau, il me répondit que j'avais les seins pleins de dysplasie. Pour me rassurer, il m'a prescrit une mammographie à votre clinique en prenant soin de me dire que je n'avais rien. Il disait que la seringue ferait disparaître ma bosse comme par enchantement. J'attends ce rendez-vous depuis 45 jours. Croyez-vous que ce retard puisse avoir des répercussions graves et désastreuses ?

— Tout dépend de la sorte de tumeur. S'il s'agit d'une tumeur qui se développe rapidement, il est certain que tout retard est néfaste. Vous pouvez être assurée que votre médecin recevra votre dossier avec la preuve de ce que nous décèlerons. Nous sommes mardi. Lundi prochain, vous appellerez la secrétaire qui me préviendra et je vous communiquerai les résultats. Allez maintenant au Centre X passer une mammographie et une radiographie des poumons. Je fais à l'instant votre demande d'admission. D'ici quinze jours à trois semaines vous aurez votre place. Vous savez, aujourd'hui les résultats de la chirurgie se sont améliorés de beaucoup. On peut, dans certains cas, s'exempter d'enlever le sein au complet.

À ce moment là, je ne voyais pas encore l'importance de perdre en partie ou en entier mon sein. L'ensemble me terrifiait sans que je m'arrête à des priorités particulières.

Le médecin me demande de m'asseoir pour un autre examen. Il palpe à nouveau mon excroissance de chair et comme il s'y attendait, en le souvelant avec ses cinq doigts, il voyait la peau du sein tirée de part et d'autre comme mue par des filaments pris en profondeur. À cet instant, j'ai visualisé ma tumeur comme une pieuvre munie de tentacules agissantes à l'intérieur de moi. C'est fou comme notre imagination peut créer de visages à cette maladie. Tous différents les uns des autres, mais signifiant la même chose ! Cancer: comme ce mot «tabou» est difficile à éliminer d'une vie !

— Si votre bosse avait été mobile, c'aurait été bon signe.

À ce moment, il n'a pas précisé que la tumeur était maligne, mais je voyais que son diagnostic muet en disait long.

— À moins, ajouta-t-il, que le médecin ait piqué à côté de la bosse. Ce qui est peu probable.

Désemparée, attristée, bouleversée

Je réalisais qu'il me fallait m'attendre à tout. Je sentais que toutes ses paroles étaient prudentes, pesées et qu'elles amorçaient en même temps un diagnostic positif face au cancer. Je suis donc sortie du bureau désemparée, attristée, bouleversée. Les yeux rivés sur le plancher, je déambulais dans le couloir qui m'apparaissait comme le chemin qui conduisait à la prison après une sentence d'incarcération. J'ai choisi l'escalier au lieu de l'ascenseur, comme pour prolonger les derniers instants avant l'emprisonnement. Et comme une personne somnambule, je parcourais les longs corridors qui conduisaient à la sortie où m'attendait mon mari. Une fois installée dans l'automobile, ce fut le mutisme complet, comme si de cette façon je pouvais épargner des constatations évidentes à mon mari. Je me contentai de lui demander de me conduire au stationnement voisin près du pavillon où l'on passe les radiographies.

L'attente ne fut pas longue. Une radiologiste se préparait à actionner cette gigantesque machine de condamnation. Elle coince un de mes seins entre deux assiettes en métal froid. Je le sens pris comme dans un étau. Quelle projection ! Elle accentue la pression comme pour retenir sa proie plus facilement. Elle réalise qu'elle me fait mal, mais doit forcément continuer son travail. C'est elle la première qui tenait entre ses mains la sentence avec preuves à l'appui. Comme j'aurais voulu qu'elle échappe un mot, une parole susceptible de m'éclairer pour que je devine ! Hélas ! Je me dois de la laisser avec son secret professionnel. Je suis donc sortie du pavillon pas plus renseignée qu'à mon entrée. Toujours dans l'incertitude et poursuivant mon cauchemar.

La tempête annoncée était commencée. Sur le chemin du retour, nous nous arrêtons dans un restaurant. Une fois assise avec mon mari, je ne suis pas capable d'aborder le sujet, et lui, par délicatesse, n'ose briser ce silence. Silence qui en dit long ! J'avale à peine une bouchée. Tout a un goût amer dans ma bouche. Tout comme ce que la vie offrait présentement à mon corps rempli d'amertume. Je regarde aller et venir les gens dans le mail du centre d'achat où se trouve le restaurant en me disant: «Comme ils semblent légers et insouciants de l'avenir ! Peut-être n'est-ce qu'une apparence et qu'au fond d'eux-mêmes, ils camouflent et étouffent une grosse épreuve ou une peine en magasinant ? Chose certaine, ils ne viennent pas d'apprendre qu'ils peuvent être porteurs du cancer, car leur enthousiasme s'éteindrait !» Toutes les nouveautés des vitrines m'indiffèrent totalement. Je vais jusqu'à me demander si une de ces robes conviendrait pour mon cercueil !

La tempête continue de plus belle et nous avons 90 milles à parcourir. Filons vite chez nous. Ici, la vie est trop débordante pour moi. Dès notre entrée sur l'autoroute, la visibilité devient nulle. À peine voit-on les traces de l'auto qui nous précède. Les bourrasques sont si épaisses et si denses qu'on ne voit pratiquement plus rien. Inutile de songer à rebrousser chemin. Ma tension, ma peur et mon observation sont si grandes que par moments j'oublie mon autre obsession. Mon mari doit s'arrêter à tout moment pour dégager les essuie-glace où s'accumule la neige gelée. Comme j'ai hâte d'arriver à la maison pour respirer normalement ! Plusieurs voitures ici et là ont dérapé. Un camion à remorque a perdu sa charge de bois dans le fossé. J'ai tellement peur que je me dis: «Ce n'est pas du cancer que je vais mourir, mais victime d'une tempête de neige !»

Enfin nous arrivons dans notre paroisse. Nous voyons à peine le tracé du chemin. Si au moins nous pouvions entrer l'automobile dans la cour... Et voilà que c'est fait ! En débarquant, mon mari me dit: «Chanceux d'avoir été capables d'entrer, mais inutile d'essayer d'en sortir. La voiture a le différentiel enfoui dans la neige.»

En entrant dans la maison, un grand soupir de soulagement allège ma respiration. Je commence tranquillement à me détendre, mais aussitôt mon obsession première refait surface et là, enfin, je peux tout raconter à mon mari. Je me mets à crier, mais à crier pour me libérer de cet étouffement. En sanglotant, en tremblant. Puis je recommence à pleurer à haute voix. Depuis onze heures du matin que je retiens toutes mes émotions et il est maintenant cinq heures de l'après-midi. Avec le stress accumulé durant la tempête, je n'en peux tout simplement plus. Et une fois partie, je ne peux plus m'arrêter. Je me souviens d'avoir pris mon mari par le cou en lui disant: «Je ne serai jamais capable de passer à travers cela. Ça ne se peut pas que ça m'arrive à moi. Pourquoi ? Je ne veux pas. Je ne veux pas. J'ai peur du cancer et je ne veux pas mourir. Comme il va falloir que tu m'aides ainsi que Pierre. Toute seule, je n'y parviendrai jamais !»

Je parviens à maîtriser mes larmes et à m'asseoir un peu plus calmement. Je me mets à me remémorer les dialogues des deux médecins. Plus je me remémore leurs paroles et leurs agissements, plus je constate que tous les deux, séparément dans leur bureau respectif, penchaient pour le même verdict face au cancer: positif. Parmi toutes les hypothèses entendues, une seule joue en ma faveur: «À moins que le médecin ait fait la cytoponction un peu trop loin du centre de la tumeur. Ce qui est peu probable.»

Attendre le résultat

Il ne me reste plus qu'à attendre le résultat des examens. Quelle semaine en perspective ! Comment en arriver à composer un horaire vivable pour les jours à venir ? Comme ce sera long ! Malgré la tempête, mon mari s'absente pour quelques minutes. Étant seule, l'angoisse reprend de plus belle. Je marche de long en large dans la maison. Je regarde dehors par la fenêtre du salon. Il fait tellement mauvais que je ne vois ni ciel ni terre. Dans mon coeur, encore moins que rien ! Les ténèbres me semblent si épaisses que je ne crois plus à la possibilité de voir réapparaître la lumière et le soleil, ni au-dehors ni au-dedans.

Le désarroi me reprend de plus belle. Je me sens vraiment dans une impasse. J'ai besoin de voir une femme. N'importe laquelle qui pourra m'écouter, me comprendre. Le téléphone ne me suffit pas. J'ai besoin d'un contact humain, d'un regard, d'un encouragement, de quelqu'un qui me dise: «C'est un rêve, un cauchemar que tu vis. Tu es à la veille de t'en sortir.» Je ne vois qu'une voisine qui puisse venir à mon secours. Malgré la tempête qui fait rage, elle sent qu'il s'agit d'un cri de détresse inhabituel et arrive aussitôt. Sans préambule, je la mets au courant de la situation. Que peut-elle faire dans les circonstances actuelles sinon m'écouter, me laisser me vider ? Ensemble, nous essayons de trouver des éléments positifs, mais le négatif domine sans cesse. Mais le fait de lui avoir parlé m'a fait du bien. J'ai cessé de pleurer. Je lui ai demandé de garder la chose secrète. Je ne voulais pour rien au monde que les autres soient au courant.

Le calme revenu, je téléphone à ma belle-soeur, la seule parente que j'ai dans la place. Comme j'aimerais la rassurer au lieu de l'inquiéter. Je tente de lui laisser l'illusion qu'il y a encore de l'espoir. J'essaie de rejoindre une amie à qui j'avais confié mes inquiétudes, mais peine perdue, elle n'est pas là. Maintenant, il me reste à affronter seule avec mon mari les jours à venir. Je ne m'endors que très tard. À mon réveil, j'espère que ce ne soit qu'un mauvais rêve. Mais déception supplémentaire, la réalité est encore là ! Après m'être ressaisie, je me dis: «Quoi faire cette semaine pour tuer le temps afin qu'il me paraisse le moins long possible ?»

M'asseoir et ne rien faire serait la pire des manières pour attendre et ne ferait qu'augmenter mon stress. Nous sommes au début de mars et déjà les grands ménages du printemps commencent pour plusieurs. Je me rappelle que quels que soient les résultats, je suis certaine d'être opérée. «Il faut que cette tumeur parte», m'avait-on dit. Alors si je dois vraiment subir une opération de quelque nature que ce soit, il me faudra un léger repos après l'intervention. Il ne saurait être question de ménage à ce moment-là. Le chirurgien m'a donné quinze jours, trois semaines avant d'avoir ma place. Le grand ménage est donc le travail approprié pour mieux oublier. Et sans faire à fond le récurage, je me mets à la tâche assez énergiquement. Ça me défoule. Je trouve qu'il est plus facile et efficace de m'occuper que de m'asseoir et de jongler.

Cependant, même en travaillant, il m'est presqu'impossible de transposer mes pensées vers autre chose. Tout mon remue-ménage est en fonction de tout ce qui pourrait m'arriver, c'est-à-dire que je classe et dispose toutes mes choses à l'ordre. Je tiens à ce que tout soit bien rangé advenant le pire. Les trois femmes au courant de mon état gardent le secret. À tour de rôle, elles me téléphonent pour me réconforter. J'essaie de jouer le jeu et de faire voir que je suis la femme forte de l'évangile afin de ne pas trop les inquiéter, mais au fond de moi, je suis très petite devant les événements. Arrive enfin le lundi matin. Aujourd'hui je saurai. Tel que convenu, je téléphone à la clinique. Le médecin doit me rappeler, mais rendu à quatre heures, j'appelle à nouveau pour apprendre qu'il n'était pas venu sur l'étage. On me dit de rappeler le lendemain.

Un coup de fil serait le bienvenu

Attendre, toujours attendre ! Le lendemain, je signale à nouveau et on me répond le même chose que la veille: «J'écris votre message à nouveau et le laisse sur son bureau.

Il communiquera avec vous.» J'en ai conclu: «Finis les appels téléphoniques. S'il appelle tant mieux ou tant pis, mais je n'appelle plus.» Et durant toute la semaine je n'ai eu aucun résultat.

Au début je me disais: «Pas de nouvelle, bonne nouvelle. S'il y avait quelque chose de grave, il saurait bien me rejoindre. Par contre, si je n'avais rien de grave, il devrait savoir combien un coup de fil serait le bienvenu et tellement rassurant.»

Toujours, j'apportais les deux versions en laissant l'espoir dominer. À mesure que les jours avançaient, je me surprenais à dire le contraire: «Il attend tout simplement que j'aie ma place d'admission pour l'opération. Il veut éviter de m'inquiéter en me disant la vérité tout de suite. Il doit savoir que j'en aurai la certitude bien assez vite.» Mais même à ce compte, je gardais l'espoir que vraiment ce n'était pas grave vu qu'il ne se pressait pas pour donner signe de vie. Tant qu'il y a de la vie, il y a de l'espoir !

Dix jours sont maintenant passés. Je suis sûre que ça ira à l'obtention de ma chambre avant d'avoir des nouvelles. Mon agonie se prolonge de jour en jour. Malgré tout, je continue à me tenir occupée avec mon ménage. Lorsque j'arrive sur des choses auxquelles je tiens beaucoup, comme par exemple mes articles d'artisanat, mes photos de famille, mon trousseau de baptême, etc., je suis loin d'être prête à tout laisser aller. Comme le détachement sera difficile ! Et malgré moi, je m'enfonce dans les conséquences qui pourraient s'ensuivre. Ma vie ne tient qu'à un «coup de fil». Si j'avais une baguette magique, le pouvoir de faire disparaître ce cauchemar, comme je serais soulagée de mon fardeau. Mais rien ni personne n'y peuvent rien.

Pourtant, cette période d'attente peut probablement devenir bénéfique. J'ai le temps de me préparer mentalement à toute éventualité. Le choc sera moins fracassant à l'annonce de la réalité !

Plusieurs vous diront comme moi que cette période est souvent accompagnée de certitudes intuitives. C'est comme si un sentiment puissant nous disait: «Oui, tu as le cancer. Ne te leurre pas. Au fond de toi-même, tu sens sa présence bien au chaud. La pieuvre est là avec ses tentacules essayant de s'enrouler aux autres parties de ton corps jusqu'à ce que mort s'ensuive. Tu sais bien que tu es à sa merci !»

Et tranquillement, avec les heures, il commence à faire partie de ton quotidien. Il est toujours présent. Il te faut t'habituer à répondre à tous ses caprices. Aussi bien s'en faire un allié que d'essayer de le combattre inutilement, puisque tu sais à l'avance qu'il gagnera le combat ! Je suis tellement convaincue de la chose que je me sens comme devant un fait accompli durant les quelques jours où je demeure à la maison à attendre.

Le temps du carême arrive. Lors de la célébration du mercredi des Cendres, on me demande de faire les lectures. Au moment de la communion, le curé me demande, en me tendant un ciboire rempli d'hosties, de faire la distribution avec lui. Je le regarde stupéfaite avec un regard qui semble lui dire: «Moi !» Et tout heureuse, je donne le Corps du Christ aux fidèles pour la première fois de ma vie. Jamais notre curé ne saura à quel point cette marque de confiance a été pour moi un réconfort spirituel dans les circonstances. Je suis si heureuse de donner le Pain de Vie à tous ces gens que je connais. Subitement, une ombre noire vient obstruer ma vue. S'il fallait que quelqu'un sache que j'ai le cancer ! Ferait-il demi-tour pour ne pas communier des mains d'une cancéreuse ayant touché à son hostie ? Car d'aucuns croient encore que le cancer peut s'attrapper ou en ont tout simplement dédain.

Au moment de la distribution des cendres, jamais ce rite ne m'a paru aussi vrai. «Souviens-toi, ô homme, que tu es poussière et que tu retourneras en poussière.»

Aujourd'hui, je suis une femme à part entière, mais dans cinq ou six jours, lorsqu'on m'aura enlevé un sein, j'aurai déjà une partie de moi-même qui deviendra poussière !

Durant cette période, trois couples de mes amis m'offrent de prier sur moi. Je suis très calme, mais pas dans une confiance aveugle. Intérieurement, je ne demande même pas ma guérison, mais autre chose qu'à ce moment-là je ne pouvais définir. Aujourd'hui, je réalise clairement que c'était l'abandon. Je pense qu'eux aussi sentaient l'affrontement à la réalité puisqu'ils ne demandaient pour moi que la grâce de faire Sa Volonté.

De retour chez moi, je réalise dans mon coeur que je devrai définitivement vivre cette situation. Que rien ni personne n'y peuvent vraiment rien malgré leur bonne volonté et leur désir de m'aider. Ils ne peuvent aller à l'encontre des plans de Dieu.

Durant ces deux mois d'attente, je ne parvenais aucunement à prier. Je n'étais pas en révolte contre Lui, ni en amour non plus... J'avais l'impression de m'apprivoiser à la maladie, mais toujours l'espérance d'un résultat négatif refaisait surface. Je peux dire que durant cette période d'attente, c'est l'espérance qui a été le sentiment qui m'a aidé à tenir bon sans me décourager.

Depuis deux mois que je connais tous ces problèmes et jamais je n'en ai parlé à mon fils. Je veux lui épargner la nouvelle le plus longtemps possible. Dans deux mois, il terminera ses études collégiales et je ne veux pas compromettre sa réussite.

Il se trouve à la maison les 11 et 12 mars. Il me faut donner le coup, mais comme c'est difficile ! Il accepte la situation de façon positive en apparence, comme le font les jeunes de 22 ans d'aujourd'hui, m'assurant que ce n'est que bénin.

DEUXIÈME PARTIE

Mes opérations

Lundi, le 13 mars, un peu avant la date prévue, j'ai ma place à l'hopital pour le lendemain. Je fais ma valise sans trop savoir quoi y mettre ni pour combien de temps !

L'admission

Arrivée à l'admission, on me demande quelle sorte de chambre je désire. Pour moi, ça n'a pas d'importance pourvu que j'aurai un lit. On me conduit sur un étage où on retrouve des patients des deux sexes et on m'assigne une chambre où il y a déjà deux malades. Une toute jeune femme et une autre dans la cinquantaine. En entrant dans la chambre, un étouffement m'étreint la gorge en voyant la grandeur de celle-ci. Elle n'est pas plus grande que la mienne à la maison et nous y serons trois !

Je n'ai que mon lit, ma garde-robe, une chaise, un lavabo commun et la chambre de bain commune dans le corridor ! Voyant que manifestement je ne me sens pas à l'aise, l'infirmier me rassure en me disant que je ne suis là que pour quelques jours. Le temps des examens. Après quoi, s'il y a opération, je serai transférée sur un autre étage puisque ce pavillon n'accueille aucun opéré d'importance. On n'y fait pas le service des repas aux chambres et il faut aller manger à la cafétéria. Même si je ne me sens pas chez-moi, je défais mes valises. Dès le midi, les examens de routine commencent: le coeur, les poumons, les os, c'est-à-dire la médecine nucléaire. Un examen qui par étapes dure deux heures.

Depuis mon arrivée, j'espère toujours avoir la visite de mon chirurgien. Et la journée se passe sans que je le voie ! Attendre et toujours attendre ! C'est le lot de tout malade à l'hopital. Mon chirurgien possède sans doute maintenant les résultats des examens de la journée. Pourtant, il devrait savoir que ça fait quinze jours que j'attends désespérément. Le silence continue de confirmer le diagnostic. Si ce n'était pas grave, il serait sûrement venu pour me rassurer. Un filet d'espérance demeure quand même au fond de moi.

Le lendemain, je partage mes inquiétudes avec mes voisines de chambre. Celle de mon âge est une enfant gâtée qui s'imagine avoir toutes les maladies. Visite après visite, les médecins ne trouvent toujours rien. Naturellement, mes symptômes ne peuvent être pires que les siens ! Ne pensant qu'à elle-même au lieu de me rassurer, elle me dit: «Si mon médecin m'apprenait que j'ai le cancer, je ne sais pas ce que je lui ferais. Je pense que tout d'abord je lui donnerais une bonne claque au visage. Par la suite, je lui ferais savoir que je ne m'amuserais pas à lutter et à combattre pour vivre avec des traitements à effets secondaires. Je crois que j'en finirais au plus vite avec tout ce qui me reste de médicaments dans ma pharmacie.» Je suis donc fixée. Advenant le pire, jamais elle ne pourra me soutenir !

Un instant indescriptible

Mercredi le 15 mars, à midi et demi, arrive mon médecin avec les résultats. Je sens chez lui une certaine appréhension face à l'accomplissement de son devoir. Il tire le rideau autour de mon lit et semble un peu mal à l'aise pour entreprendre la conversation. À ce moment, je suis seule dans ma chambre. Comble de malheur, la non-sympathique arrive. Je fais signe au médecin de ne rien dire devant elle, craignant qu'elle le gifle à ma place. Il me dit donc: «Venez avec moi, nous allons aller ailleurs.» L'autre comprend et quitte la chambre.

Il s'assit sur le bord de mon lit, me regarde longuement et me dit: «J'ai vos résultats. Ils ne sont pas bons. Vous avez bien une tumeur maligne, c'est-à-dire le cancer du sein.»

Dire ce que j'ai ressenti à cet instant est impossible parce qu'indescriptible ! Avant, je doutais, maintenant, j'en ai la certitude. Avant, il y avait de l'espoir, maintenant, qu'est-ce qui me reste ? Le désespoir ? J'ai comme un boulet qui part du coeur, qui m'étouffe et que je sens monter très vite à la gorge. En même temps, les larmes surgissent et je me mets à trembler de tout mon être comme lorsqu'on a bien froid. Un peu gênée, je demande au médecin: «Mais qu'est-ce que j'ai ?» Il me répond: «C'est le choc, le «shake», une réaction normale. N'allez surtout pas l'arrêter. Tout ce que vous pouvez faire sortir sera à votre crédit.» C'était comme si le fil de ma vie se coupait net ! Comme si on venait de me dire que j'allais mourir ! À l'instant même, j'ai regardé mon crucifix sans dire un mot. Mais en moi-même je lui disais: «Mais qu'est-ce que Tu me fais-là ?»

—Avez-vous la foi ?

—Oui, mais je me demande si j'en aurai assez !

Et les sanglots recommencent. Le médecin comprend que c'est suffisant et que je ne suis plus en mesure de dialoguer. J'ai vraiment besoin d'être seule !

Avant de me quitter le médecin me dit: «Demain, je viendrai vous voir. Vous pourrez poser toutes les questions que vous voudrez. Vous pouvez même les écrire sur papier pour ne pas en oublier. Ainsi vous serez bien renseignée. Dans l'après-midi, vous aurez une première petite opération. Nous n'enlèverons que la tumeur pour analyse. Après quoi nous pourrons juger de la gravité de celle-ci. Ce qui aura pour effet de déterminer si nous devons enlever le sein au complet ou si nous pourrons vous en laisser une partie.»

Après son départ, je laisse les rideaux tirés et je me jette sur mon lit en pleurant. Je ne veux plus voir personne. Surtout pas ma voisine de lit ! Moi, je ne prends pas de médicaments et j'ai peur qu'elle m'en offre pour m'aider à me suicider !

L'infirmière m'apporte en spécial le dîner sur la table près de mon lit. Tout ce que je trouve à lui dire, c'est que je ne veux plus voir personne. Mais personne ! Déjà je me sens à part des autres et j'ai l'impression que les gens auront dédain de moi. Je voudrais être chez nous pour crier, mais crier, pour faire sortir tout ce qui m'étouffe ! Mais non ! Je n'ai que ce lit témoin de ma souffrance. Emmurée par un rideau pour me débattre. Je voudrais être avec mon mari et mon fils pour crier: «AU SECOURS !» Mais je suis complètement seule. Seule avec la bête qui doit rire à gorge déployée. En cet après-midi, je ne peux rejoindre ni mon mari ni mon fils !

C'est la mort qui m'effraie

À un moment donné, la folle idée me vient que j'ai le cancer généralisé. Pensant à des problèmes de vertige qui m'incommodaient depuis quelques temps, mon médecin m'avait recommandé de faire vérifier tout ça. Ça y est ! C'est rendu dans ma tête ! De plus, j'avais l'os de la clavicule qui grossissait démesurément depuis un an environ. On avait passé la radiographie des os la veille. Avec mon imagination nerveuse, il n'en fallait pas plus pour me convaincre que c'est le cancer généralisé ! Si c'est bien ça, je n'en ai plus pour longtemps à vivre. La panique s'empare de moi sans bon sens. Je ne veux pas mourir ! J'ai peur de la mort. Je veux vivre. Je veux absolument vivre ! Je n'arrête même pas de penser à la souffrance, c'est la mort qui m'effraie !

C'est un mot que je n'ai jamais voulu définir. Seulement le mot me faisait peur ! Quant à la réalité et aux conséquences, c'était encore pire. Je ne voyais que mon corps dans la terre qui allait devenir poussière. Cette seule pensée de décomposition me bouleversait. D'ordinaire, je suis de nature brave, mais subitement, j'ai une peur bleue de me trouver face à la mort. Destination où personne ne peut nous accompagner et d'où nul ne revient pour nous renseigner. J'ai donc essayé de penser à mon âme. C'était sensé être la rencontre avec Dieu. En voyant Dieu, je voyais aussi le jugement et j'avais peur davantage. Je ne me sentais pas prête à comparaître devant Lui. Qu'y a-t-il après la mort ?

La vie éternelle ! À partir de quel moment commence-t-elle ? Seulement à la fin du monde ? Lorsque Dieu ressuscitera les morts ? Ce qui me faisait le plus peur, c'était l'entre-deux, le passage de la mort à la résurrection ! Moi, femme active, comment m'arrêter subitement et définitivement ?

Je me rappelle que la Bible nous dit: «Il est plus difficile à un riche d'entrer dans le Royaume des cieux qu'à un chameau de passer par un trou d'aiguille.» Je me sentais aussi grosse qu'un chameau avec toutes mes attaches, mes bebelles de la terre. Attachée, rivée à mon corps tout entier. Liée aux miens. Comment réagiront-ils ? Comme si tout allait s'écrouler après ma disparition !

J'ai pourtant été avertie ! «Je viendrai comme un voleur.» Mais ce n'était pas pour moi. J'étais encore bien trop jeune. Quand viendra le moment, j'aurai le temps de m'y préparer. Je suis comme ces vierges folles de l'Évangile qui ne se sont pas suffisamment approvisionnées en huile pour tenir leur lampe allumée. Aujourd'hui, je ne peux demander d'huile à personne. C'était à moi de m'approvisionner à l'avance. De me tenir prête pour le grand voyage. À son heure à Lui... et non à la mienne ! Aujourd'hui, me voilà au pied du mur et je n'ai peut-être pas de temps pour faire du rattrapage.

«Je t'en supplie. Donne-moi encore un peu de temps. Je veux vivre. Je veux vivre, mais cette fois, j'essaierai de mieux comprendre et de mieux me préparer à cette mort !»

Je ne voyais que le médecin qui pouvait faire quelque chose pour moi. Et là encore, ses capacités étaient limitées à mes yeux. Il y a Dieu naturellement qui pouvait tout, mais s'il avait voulu s'interposer, il n'aurait pas permis cette maladie au départ. Puisqu'il m'a lâchée bêtement, à moi de me débrouiller seule. Mais la réalité me saute vite aux yeux. Moi qui ai toujours été assez autosuffisante, je ne pouvais absolument plus rien pour moi. Plus rien !

Comme dans un cul-de-sac

D'ordinaire, lorsque j'avais une difficulté dans un domaine, je me disais toujours qu'il devait y avoir un moyen pour m'en sortir. Avec un peu ou beaucoup de patience, je finissais par y arriver. Mais là, je me voyais comme dans un cul-de-sac. Je reconnaissais mon incapacité, ma vulnérabilité, mon impuissance à faire quoi que ce soit ! J'avais l'impression d'être dans un trou de terre n'ayant que la tête de sortie. Je posais sur moi un jugement. C'était comme si toute ma vie se déroulait devant moi. Je la voyais gisant à mes pieds. Éparpillée. En mille morceaux. Terminée avant la fin. Morte avant d'avoir vécu. Finis les rêves, les illusions, les espoirs, les espérances. On a dérobé ma vie, ma vie casse-tête, et détruit à jamais des pièces que personne ne pourra réparer complètement. Et j'étais là, impuissante, vulnérable, assistant à cette tombée en ruine !

C'était comme un arrêt de vivre. Je me disais: «Dieu n'a qu'à permettre quelques pelletées de terre sans pitié et c'en est fini de moi.» Mais, c'était lorsque je regardais à partir du trou que je visualisais de la sorte. Par contre, en regardant vers le haut, l'espérance agrippante surgissait et me donnait encore une chance de me sortir la tête et le corps. De produire et de recevoir à nouveau. Comme les miens me manquaient ! J'aurais voulu que l'un d'eux arrive... mais c'était l'infirmière qui arrivait ! J'ai partagé avec elle mes craintes au sujet du cancer généralisé. Elle s'est empressée de me rassurer en me disant: «Je ne devrais pas avoir le droit de vous le dire, mais je vous vois tellement dépourvue que pour dissiper vos craintes, je peux vous dire que je viens de recevoir vos résultats de la médecine nucléaire, l'examen de vos os s'avère négatif.»

Ma révolte à la chapelle

À tout instant me venait l'idée d'aller à la chapelle. Mais qu'irai-je faire là ? Vers trois heures, n'en pouvant plus, je me suis levée d'un bond et inconsciemment je me suis dirigée vers le poste de garde pour m'informer où se trouvait la chapelle. Elle se trouvait en sens tout à fait opposé, c'est-à-dire que je devais parcourir de longs corridors pour arriver à l'ascenseur qui me conduirait au quatrième étage. Je courais tout en pleurant et je ne voyais même pas les gens que je rencontrais.

Enfin arrivée ! J'étais seule...

C'était une toute petite chapelle. Au centre se trouvait l'autel où se célèbre la messe. À l'arrière, le maître-autel et le tabernacle. Au-dessus, un grand crucifix de deux pieds et demi de hauteur posé sur un voile bleu poudre. Des plantes naturelles posées ici et là avec goût donnent tout de même une atmosphère de gaieté et de vie. À gauche, un lutrin sur lequel repose une bible géante, ouverte à qui veut aller à la Source de vérité. Malgré cet arrangement assez reposant pour l'oeil, je sens monter, grandir, gronder, exploser en moi la révolte. Pour moi, désormais, finies les superstitions, les convictions religieuses et leurs dirigeants !

J'ai vu et j'ai cru. Je ne vois plus et je ne crois plus !

Vêtue de ma robe de chambre, je m'avance devant l'autel. Debout les poings sur les hanches, je me décide à Lui crier ma révolte. Je lui crache au visage. Je lui parle irrespectueusement comme je ne l'aurais jamais fait à personne !

—«Es-tu là ?
—Es-tu vraiment là ?
—Ça ne se peut pas que tu sois vraiment là !
—Si tu étais vraiment là, tu n'aurais pas permis qu'une chose pareille m'arrive.
—Pourquoi moi ?
—Ce n'est pas juste !
—Te rappelles-tu au moins tout ce que j'ai fait pour les miens ?
—À quoi cela m'a-t-il servi ?

Du respect, je crois en avoir eu au maximum pour mes parents. C'est ça l'efficacité de ton quatrième commandement: «Honore ton père et ta mère afin de vivre longuement.»

C'est avec un cancer que tu crois que je vivrai longuement ? Je me suis occupée de mon grand frère comme soutien moral depuis tant d'années. J'ai préparé mon jeune frère à la mort. Je me suis occupée de mon père et de sa femme, même si elle n'était pas vivable pendant 13 ans. Jamais je n'ai dit un mot. Je l'ai toujours acceptée telle qu'elle était. Je me suis occupée des affaires de mon père, de son testament, de son exécution testamentaire.»

Ce que vous ferez à l'un de ces plus petits, c'est à moi-même que vous le ferez. (Matthieu 25,40)

C'est là l'effet que ça te produit ? C'est ça ton remerciement ? J'en ai tout simplement assez des cancers et de la mort ! Je commençais tout juste à vivre pour moi. Finies les personnes âgées. Finis les malades. Fini le travail à l'extérieur. Je pouvais commencer à vivre et tu te permets de me faire pareille injustice !

—«Non, tu n'es pas juste.

—Tu n'es pas miséricordieux.

—Pourquoi ne permets-tu pas que ça arrive à des femmes de mauvaise vie plutôt qu'à moi ?

—Je n'ai jamais abusé de mes seins, moi !

—Non, tu n'es pas là.

—Tout ce que l'on m'a dit sur toi, c'était de pures inventions pour composer une belle histoire !

—Je ne veux plus entendre parler de toi.

—Je ne crois plus à ton corps ni à ton sang !

—Et surtout plus à ton pain ni à ton vin.»

Révoltée plus que jamais, j'aurais dû prendre la porte, mais exténuée, j'ai pris place dans le premier banc. Je ne savais plus trop bien ce que je pouvais faire ou non. J'en avais tout simplement assez. À ce moment, j'étais encore seule dans la chapelle.

J'avais l'impression d'être comme un serpent à sonnettes qui laissait sortir tout son venin. Tout ce qui a continué à être exprimé était loin d'être bien. Impossible de le raconter ! Cependant, aujourd'hui, je réalise qu'à ce moment j'étais contente et fière d'être capable de Lui dire ce que je pensais de Lui. Par la suite, je me suis mise à pleurer, mais à pleurer plus que jamais !

La sacristine et l'aumônier

Soudain, la sacristine, une bonne religieuse, entre et s'affaire à son service d'autel. Voyant mon désarroi, elle vient me trouver pour savoir ce qui se passe de si triste. Je lui dis: «Ce n'est rien, je n'ai que le cancer.» La soeur de me répondre: «Pourquoi n'iriez-vous pas rencontrer telle soeur sur l'étage ? Elle vient d'être opérée pour la même chose. Elle est très sereine, toute souriante et pourrait vous aider à accepter. Je lui réplique: «Non ma soeur. Je ne suis pas intéressée à la voir. Je ne suis même pas intéressée à accepter mon cancer. Tant mieux pour elle si elle trouve ça drôle ! Moi, j'ai pour mari Raoul et non Jésus ! Votre soeur n'a pas d'enfant, mais moi j'ai un fils de 22 ans et je veux vivre pour lui et mon mari.» Elle me laisse enfin seule et je recommence à pleurer plus que jamais durant je ne sais combien de temps.

Finalement, j'ai ouvert les yeux. Vous ne pouvez pas vous douter de la personne qui se trouvait là devant moi. Non, pas Jésus ! Il ne m'apparaît pas plus à moi qu'aux autres ! C'était l'aumônier que je ne connaissais pas. De sa main gauche il tenait un petit vase d'hosties, et de l'autre il me présentait avec un grand regard de compréhension et de douceur l'hostie en me disant: «Voulez-vous le Corps du Christ ?» Je fus tellement saisie et gênée que j'ai couvert au plus vite mon visage de mes deux mains.

Mon premier réflexe fut de me dire: «Mais je ne peux pas communier dans cet état-là ! Je viens de l'insulter, de le renier, de lui cracher au visage. Je n'ai même plus le goût de Le recevoir.»

Il m'est venu à l'idée de dire à l'aumônier que c'était à tout jamais fini ma participation à ce rituel sans fondement véritable. Non ! Je ne lui dirai pas mes intentions. Il essayerait sans doute de trouver de nouveaux arguments susceptibles de me convaincre et je ne veux tout simplement pas retomber dans les mêmes croyances.

L'aumônier, lui, ignore tout de mon état de santé et de mon bouleversement intérieur et me redit à nouveau: «Voulez-vous le Corps du Christ ?»

C'est bien vrai que je suis là !

Par habitude, par conviction et par besoin, j'avais appris à me nourrir de cette nourriture spirituelle qui me faisait vivre. Comme la chaîne d'amour est difficile à casser ! Et sans trop m'en rendre compte, je dis tout bas: «Dis seulement une parole et je serai guérie.» Puis en ingrate, je tends une main hésitante, honteuse, indigne au prêtre qui m'offre avec autant d'insistance le Corps du Christ.

L'aumônier est sorti de la chapelle sans se douter du tumulte, du bouleversement qui pouvait m'habiter et s'en est retourné avec son contenant d'hosties sans doute vers d'autres malades.

Je suis seule à nouveau dans mon banc tenant l'hostie dans la main gauche, incapable de la partager, de l'avaler, m'en sentant trop indigne. Maintenant, qu'est-ce que je fais ? Qu'est-ce que j'ai fait là ?

Les yeux fermés, je revis tout ce qui vient de se passer depuis mon entrée à la chapelle. Je viens de lui dire: «Je ne crois plus en toi. Je ne crois plus que tu es là. Je ne crois pas en ta présence. Je t'ai renié. J'ai crié à l'injustice devant ton manque de reconnaissance.» Et voilà que le prêtre me dit: «Veux-tu le Corps du Christ ?»

Et c'est comme si j'entendais sa voix me dire: «C'est bien vrai que je suis là sous les espèces du pain et du vin. Tu peux continuer à y croire. Je suis avec toi, Marcelle, pour te supporter, t'aider à porter ta croix dans cette épreuve. T'imagines-tu que c'est parce que je ne t'aime pas ? Bien au contraire. C'est justement parce que je t'aime. C'est ce que Dieu, mon Père, a permis pour moi, la souffrance et combien il m'aimait ! Je t'attendais dans cette chapelle pour que tu viennes puiser à ma source, refaire tes forces, non pas seule, mais avec moi. Ce que tu tiens fébrilement dans ta main, c'est l'emblème de mon amour. Pourquoi craindre puisque maintenant tu as la preuve que j'existe, que je suis avec toi !»

J'étais complètement ébahie, décontenancée et je me suis remise à pleurer comme jamais. Mes sentiments étaient mélangés de révolte, de honte, de gêne et surtout d'incompréhension. l'hostie est devenue toute détrempée par mes larmes. Celles-ci avaient souillé l'espèce divine du Corps du Christ. Quoi en faire ? Impossible de la donner à quiconque. Remplie de mes lâchetés et avant qu'elle ne disparaisse complètement, j'ai pris la petite parcelle d'hostie restante, j'ai demandé pardon à Dieu et j'ai communié.

J'ai senti une légère sensation de calme. Je suis devenue moins bavarde. Je me suis rappelé la grande puissance de l'Eucharistie qui, pour la deuxième fois, venait me rescaper, me relever, me fortifier et m'aider à continuer de marcher sur la route qu'Il m'avait tracée. Cette Eucharistie est donc l'emblème de la vie et non de la mort. Elle est débordante de grâces incommensurables. Elle relève les faibles et les petits, redonne goût à la vie et apporte la paix et la joie en plénitude.

Je suis maintenant en silence. Oui, c'est beau tout ça, c'est bien beau cette réflexion mais ça ne m'enlève toujours pas mon cancer !

Soudain une interrogation m'est venue à nouveau. J'ai regardé avec intérêt le crucifix à l'arrière de l'autel en lui disant: «Toi, je sais pour qui tu as souffert. C'est pour moi et tous mes semblables. Mais moi, pour qui veux-tu que je souffre ? Si tu as donné ta vie sur une croix une fois pour toutes, tu es sensé avoir payé pour l'humanité tout entière ! Pourquoi me faut-il payer à mon tour ?»

Pas de réponse...

Je te la donne quand même

«Si au moins je savais pour qui je souffre ! Ah ! je serais heureuse de savoir que je souffre pour Pierre ! Je serais prête à souffrir n'importe quoi pour lui. Pour qu'il soit heureux dans la vie. Pour qu'il demeure toujours dans le droit chemin. Tu sais que présentement il passe une période difficile. Il vient de rompre ses fréquentations avec son amie et maintenant il aura sans doute peur de perdre sa mère !»

Une fois de plus, je réalise que je suis dans l'erreur. Subitement je constate que je marchande avec Lui. Je suis prête à souffrir pour mon fils, pour qu'il soit heureux et qu'il demeure dans le droit chemin. Je tiens encore les cordeaux, les liens et je veux diriger ma barque seule... C'est Lui le Maître de ma vie et je ne suis que sa servante.

Des personnes arrivent à la chapelle pour la messe et la sacristine prépare l'autel. L'aumônier de tout à l'heure arrive pour la célébration. Il est quatre heures et demie. Je reste sans broncher à ma place et j'assiste à la messe. Pendant que les gens communient, je ferme les yeux et je demande à nouveau pardon au Seigneur.

Sans trop réaliser pourquoi, je lui dis: «Tu la permets cette maladie, je ne comprends toujours pas pourquoi tu laisses faire une chose pareille, mais je te la donne quand même. En retour, cependant, tu vas me donner l'abandon nécessaire pour que j'accepte cette opération comme n'importe laquelle des opérations. Comme si de rien n'était. Tu es capable de me le donner, puisque Toi, un jour, tu l'as reçu de ton Père durant ta Passion.»

Dernière larme

À partir de cet instant, j'ai cessé de pleurer définitivement. Ma boule intérieure est disparue complètement. Mes larmes ont séché à jamais. Aujourd'hui, je peux confirmer, avec témoins à l'appui, que je n'ai jamais plus versé une larme au sujet de ma maladie. À ce même instant, j'ai senti diminuer la lourdeur de mon fardeau. Un regain de forces pour combattre montait en moi et je me suis dit: «Ce n'est pas la perte d'un sein qui fera que je ne serai plus femme ! »

Après cette grande libération, j'ai pris réellement conscience, pour la deuxième fois de ma vie, que l'Eucharistie avait une importance vitale, essentielle. Elle veillera continuellement sur mon existence.

Le temps est arrivé de leur parler

Une fois la messe terminée, je me suis sentie prête à partager la nouvelle avec mon mari et mon fils. Depuis cinq heures que je me débattais seule avec moi-même ! Le temps était arrivé de leur parler. Mais comme j'aimerais leur exempter cette confirmation ! Ce bouleversement dans notre vie ! Cette nouvelle vie difficile qui commence aujourd'hui !

«Avec moi, Seigneur, tu vas faire les stations et lorsque ma croix deviendra trop pesante, tu m'aideras à la porter.»

En passant devant le téléphone public, j'ai appelé mon mari. Tout comme moi, il s'y attendait. Il s'était conditionné à cette nouvelle. Avoir peur d'avoir une maladie et en avoir la confirmation, c'est tout autre chose. Tout de même, en apparence en tous cas, ç'a été mieux que je ne le pensais. Il était cinq heures du soir et je n'avais pas mangé depuis le matin. J'ai été refaire mes forces, et au retour de la cafétéria, ce fut le tour de Pierre.

Pour lui, j'ai senti que ça s'avalait plus difficilement. Alors je lui ai dit que j'avais eu une grosse révolte à la chapelle, que j'avais craché tout mon venin et que j'étais maintenant prête. J'ai ajouté que j'avais enfin compris que nous ne serions pas seuls pour traverser cette épreuve difficile, mais que Dieu serait avec nous trois.

Fragilité de la vie

De retour à ma chambre, je me suis étendue sur mon lit. Avec un calme assez relatif, je me suis mise à penser à la fragilité de la vie. Depuis ma naissance, jamais je ne m'étais arrêtée à me demander ce que c'était la vie. D'où venait-elle ? À qui appartenait-elle ? Qui en déterminait vraiment la durée ? De quoi était-elle faite ?

Pour moi, la vie est constituée d'une succession de jours, de mois et d'années d'une durée indéfinie. Inconnue et remplie de toutes sortes de bonnes choses, mais aussi de déceptions et de souffrances de tout genres vécues différemment selon les personnes, leur mentalité, leur conviction et leur goût légitime de vivre. Avant même que je naisse et que je ne m'éveille à la vie, elle était déjà là par l'entremise de mes parents. Bien sûr, mais enfin, je voyais que ni moi ni eux n'étaient possesseurs de cette vie. Aucun grand homme de science de par le monde n'a cette invention à son palmarès. Personne n'ose s'approprier ce qui a été si bien conçu. Chacun se voit devant l'évidence d'un Être supérieur, auteur de la création et de tout ce qui en dérive.

À qui peut appartenir la vie, sinon à Dieu !

Les enseignements de l'Ancien et du Nouveau Testament parlant de nos origines viennent donc confirmer l'existence de cet Être qui veille au bon fonctionnement et à la continuité de l'existence de l'homme. L'homme ne serait donc là que pour transmettre la vie à la ressemblance de Dieu. Donc, je ne suis pas maîtresse de ma vie ! Par conséquent, je ne peux en disposer à ma guise, ni m'interposer de quelque façon que ce soit. Je me dois de la reconnaître, de la respecter et d'accepter que Lui demeure le seul, l'unique à en tracer l'itinéraire, la durée et la fin.

En définitive, je ne suis que locataire de mon corps ! Grande découverte ! Alors pourquoi tant m'attacher à quelque chose qui ne m'appartient pas ? Dieu en est donc le détenteur et je n'ai plus qu'à me soumettre ! Si j'associe mon origine à Dieu, je ne suis que de passage sur la terre. C'est donc vrai qu'il y a un plan pour moi, que je me dois de retourner à Lui ! «Pourquoi tout ce processus sur la terre ? Pourquoi ce lieu de rencontre entre Lui et moi ? Entre ciel et terre... Sans doute parce que c'est l'évolution de la vie telle qu'Il l'a conçue et réalisée.[1]» C'est l'unique chemin de la liberté des hommes qui conduit à l'apothéose de la vie, à l'achèvement de l'existence de l'homme ! Donc si je veux vraiment retourner à Dieu, il me faut parcourir cette distance, ce passage pour en arriver à la porte de la Résurrection.

Le soir de ma révolte

Le soir de ma révolte, c'était la dernière émission de la série **Les oiseaux se cachent pour mourir.** À mon étonnement aujourd'hui, je me rappelle avoir demandé à ma voisine si elle accepterait de changer de canal afin de me permettre de regarder mon émission. Je me souviens que non seulement le désir y était, mais aussi le goût. Une

1. Carlo Carretto, **Mon Père, je m'abandonne à Toi,** Cerf/Nouvelle Cité, p.49.

fois l'émission terminée, je me souviens d'avoir pensé combien mes réactions étaient éphémères. M'intéresser à de pareilles futilités romancières ! Comme l'esprit est prompt et la chair est faible ! Je me suis rendue compte comment il me serait difficile de mourir à moi-même beaucoup plus que de mourir pour de vrai !

C'était du même coup comme une victoire pour moi que d'avoir pu oublier, ne serait-ce que pour une heure, la réalité fatidique. L'infirmière me donna un petit tranquillisant au coucher. Moi qui n'ai pas l'habitude de ces médicaments, tout ce que je désirais c'était de ne plus penser à toutes les péripéties de la journée. Et je m'endormis facilement.

Le lendemain matin à mon réveil, j'espère encore n'avoir eu qu'un cauchemar, mais comme à chaque jour depuis deux mois, la réalité surgit et en plus ce matin, c'est devant une certitude que je me trouve. Je dois me rendre à l'évidence que les jours qui suivront m'apporteront toujours la même obsession au réveil. «Oui, Marcelle, c'est bien toi qui as le cancer. Hier comme aujourd'hui et aujourd'hui comme demain et ce jusqu'à la fin.»

Après le déjeuner, trois internes viennent remplir mon dossier médical. À tour de rôle naturellement, ils veulent examiner ma bosse et lui toucher ! Ils se permettent de toucher mes seins tout normalement, tout comme lorsque l'on touche à une pomme sur son contour pour voir si elle est bonne ou pourrie. Ils avaient l'air de se dire: «N'enlèverons-nous que le pourri ou jetterons-nous la pomme entière à la poubelle ?» Je les trouve bien gauches dans leur façon de procéder, mais vaut mieux accepter que de m'en faire des ennemis. Ce qui pourrait les amener à ridiculiser ma situation. J'accepte donc d'être malgré moi à leur merci. À force de lui toucher les uns après les autres, ma tumeur devenait de plus en plus sensible. À mon grand soulagement, ils me laissent enfin la paix.

Après leur départ, ma voisine dépressive me dit sans aucune gêne: «Qu'est-ce que vous pensez de vous laisser toucher ainsi et de vous laisser faire mal par ces jeunes internes ? Vous n'êtes pas obligée d'accepter, vous savez !» Pauvre madame X, comme si je ne le savais pas ! Mais j'ai pensé à mon fils et je me suis dit: «Si c'était lui qui était là comme interne et qu'une patiente lui refusait l'accès à l'examen, comment pourrait-il apprendre ? » Il faut contribuer dans un hôpital à l'apprentissage de nos jeunes si l'on veut préparer la relève de demain.

Je suis prête

Le chirurgien arrive et me demande comment je me sens depuis sa visite de la veille après confirmation de la maladie. Je lui dis: «Je suis prête. Il me faut me résigner à toute éventualité. Je vous fais entièrement confiance et j'essaierai de vous seconder du mieux que je le pourrai. Ensemble, avec Dieu et la médecine, nous vaincrons. Tout ce que je vous demande, c'est d'enlever tout ce qui est susceptible de continuer à se contaminer. Je ne veux garder en moi aucune parcelle de cette bête détruisante.»

Il me donne rendez-vous pour quatre heures à la salle d'opération. Ça y est ! Les jeux sont faits et rien ne va plus ! La partie est commencée... En sortirai-je gagnante ou perdante ? Gagnerai-je le gros lot ou ferai-je faillite ? En sortirai-je radieuse ou défaite et dépressive ? Au fond de mon coeur, à ma grande surprise, aucune amertume ne m'étouffe. J'ai parlé de toute la situation au médecin avec un calme qui me dépasse !

Il me faut donc commencer à répandre la fatidique nouvelle dans ma famille. Je commence par une de mes soeurs les plus âgées. Intérieurement, je me sens forte, mais le fait de partager, de dire carrément que j'ai le cancer, c'est une expérience fort désagréable et étouffante. Je la sens au bout du fil impuissante et bouleversée. Elle est en mesure de me comprendre puisqu'elle a perdu son mari à l'âge de 40 ans du cancer des intestins voilà trente ans. Je voudrais lui épargner cette réalité ainsi qu'à toutes mes autres soeurs qui, je le sais, en apprenant la nouvelle se diront: «Déjà deux dans la famille, qui sera la troisième ? » Je voudrais tant pouvoir leur dire: «Ne craignez rien. Vous ne l'aurez pas. Deux sur dix, c'est suffisant. Les caprices de la nature vont se tourner vers d'autres familles. Vous n'en serez sûrement pas atteintes.»

Par la suite, les unes et les autres, même les nièces sont allées dans des cliniques du sein ou en médecine spécialisée se faire examiner. Je sens chez d'aucunes la vraie crainte, la hantise, la peur. D'autres dissimulent mal leur appréhension, plus renfermées et moins proches, elles prenaient bien soin de dire que leur rendez-vous était déjà pris. Les plus âgées prenaient la chose plus calmement.

J'attendais paisiblement l'heure de l'anesthésie. Dire les sentiments qui m'habitaient à ce moment précis, c'est indéfinissable ? Savoir que je possédais en moi une masse de chair capable à elle seule de détruire ma personne tout entière, ça me faisait jongler ? J'avais hâte que ce visiteur indésirable disparaisse au plus vite. Ma plus grande crainte depuis le début était de croire qu'il m'habitait depuis ma première visite chez mon médecin de famille, c'est-à-dire depuis quatorze mois. Quel ravage peut-il avoir causé ? S'il fallait qu'il soit trop tard ?

Enfin la civière arrive pour mettre fin à toutes ces inquiétudes. Rendue dans la salle d'opération, je vois de belles et grandes infirmières vêtues de vert, aux formes rondelettes dissimulant des seins resplendissants de santé et qui se soucient très peu de mon état d'âme du moment. Elles jasent, elles rient et se racontent les péripéties de la soirée de la veille. J'ai envie de leur dire: «Voyons ? Un peu de respect pour mes pensées contrastantes.» J'avais l'impression qu'elles manquaient à l'étiquette comme quelqu'un qui parlerait fort et qui rirait à gorge déployée dans un salon funéraire. Finalement, je me suis dit: «Mais oui, allez ! Profitez du bon temps où luit partout le soleil pour vous, alors que tout fonctionne à merveille, à grande vapeur et à grande vitesse.»

Le chirurgien arrive avec un regard compréhensif et différent. Lui semble partager mes sentiments, ce que je vis. Il me rassure en me disant: «Vous allez voir que tout va bien aller. L'anesthésiste arrive justement. Il ne vous endormira que légèrement afin que la douleur soit moins forte.» On installe mon bras sur une espèce de planche afin de bien dégager mon sein pour lui faire une piqûre. Et me voilà insousciante à tout saccage.

Le lendemain, je m'éveille comme si rien ne s'était passé la veille. Seul un petit drain entouré de pansements mettait bien à l'abri mon sein de toutes les indiscrétions que je voulais commettre. Ce dont j'étais assurée, c'était d'avoir encore mon sein. Mais pour combien de temps ? Un jour ? Peut-être deux ? J'ajoute une attention toute particulière à ma toilette du matin. Je choisis une robe de chambre qui puisse me mouler le plus possible, sachant que ce serait désormais impossible après l'autre opération ! Soudain, une amie vient me sortir de cette pensée. Je lui explique ce qui m'arrive dans le plus grand calme et dans la plus simple jovialité. Elle fut, paraît-il, surprise de constater avec quel soin je m'étais attachée à mon physique, à ma coiffure et à mon maquillage. Aucun soupir, aucune plainte, aucun découragement ne se fait sentir à son grand étonnement. Elle s'en retourne et communique mes réactions à mon mari.

On doit m'enlever le sein au complet

Par la suite, le chirurgien fait sa visite quotidienne et me demande: «Voulez-vous bien me dire pourquoi vous m'avez fait ça ? Vous souvenez-vous de quelque chose ? » Je ne me souviens de rien. Il se met à me raconter qu'ils n'ont jamais pu toucher à mon sein avant de me donner une dose supplémentaire afin de m'endormir plus profondément. Je me débattais comme une forcenée, paraît-il. Et moi de partir à rire. Je lui ai raconté l'examen des internes qui avaient été désagréables le matin, mais surtout la boutade de ma voisine parce que je m'étais laissée faire. Je suppose que mon subconscient a vivement réagi pour l'examen suivant et que le médecin en fut la cible.

Il m'annonce par la suite que la tumeur est assez importante. Par conséquent on doit m'enlever le sein au complet. Ça ira à lundi. Ils évitent d'anesthésier une personne deux journées consécutives.

Pour la première fois, je m'arrête à visualiser l'image que projettera mon sein après l'opération. Je demande au chirurgien comment il fera pour remplacer l'aréole et le mamelon ? Voyant ma grande ignorance et ma grande naïveté, il m'explique qu'il devra enlever le tout avec l'intérieur du sein et qu'il devra rejoindre les deux entailles de la peau du sein par des points de suture. La réponse me va au coeur comme un coup de poignard. Je pensais qu'il allait faire une incision au centre, enlever l'intérieur et qu'il n'aurait qu'à recoudre ! Il m'a expliqué que lorsqu'il enlève un sein, ça crée un surplus de peau avec le mamelon et l'aréole. Pour faire une couture, il lui faut enlever ce surplus puisqu'à l'intérieur il ne reste plus rien !

À ce moment, j'ai vu comme sur un écran l'image véritable de mon sein futur ! La plaie guérie, je ressemblerai à une femme née infirme avec un seul sein. De l'épaule droite jusqu'à mon ventre j'aurai une peau lisse. Tout comme une fillette de dix ans sans seins développés et sans aréole ni mamelon. Tout un choc pour moi ! Un sanglot monte comme pour éclater, mais il disparaît. Pour la première fois de ma vie, je me mets à chercher différentes paires de quoi que ce soit. Je me demande de quoi aurait l'air une paire de ciseaux avec un seul trou. Une paire de lunettes avec un seul verre. Une paire de souliers avec un seul soulier. Etc. Le coeur me fait mal à l'idée que l'opération privera mon corps d'un sein et que la paire disparaîtra à jamais. Mon sein gauche deviendra orphelin par le fait même.

Après ses cours au Cegep, Pierre vint me voir. Il semblait opter pour qu'on enlève le sein au complet. Il n'osait pas me le dire, mais je devinais que d'après lui, en n'enlevant qu'une partie de sein, des séquelles pourraient apparaître. Mon mari également partageait cet avis sans pour autant me le dire. Quant à moi, dans mon for intérieur, je partageais leur idée et de plus je me disais: «Quant à porter une prothèse, un étage suffira dans mon soutien-gorge.»

Une image usée

Samedi avant-midi, l'aumônier vient pour m'offrir la communion. Je lui dis ce dont je souffrais et je termine en disant: «Ma croix, je la sens bien installée.» Lui, sans dire un mot, me donne une image qu'il sort de son bréviaire. Elle représente le Christ en croix en ton gris foncé posé sur un fond noir. Le coin en bas à l'extrême droite a subi l'usure des ans. Je demeurai vraiment surprise de l'usure de coin, mais encore plus qu'il me la donne à moi. Je la trouvais tellement usée et vieillie qu'il a fallu que je retienne un sourire !

Mes voisines ayant eu congé pour la fin de semaine, je demeurais seule dans la chambre. L'aumônier aurait pu profiter du moment où je me trouvais seule pour me dire des paroles réconfortantes. Il reconnaissait sûrement la petite personne de la chapelle qui pleurait sans arrêt et qui ne voulait pas communier. Mais non ! Il respectait mon silence et laissait Dieu s'arranger avec le reste.

Lorsqu'il partit, la curiosité m'emporta et j'ai regardé à nouveau cette image qui s'ouvrait sur trois volets. J'y ai lu de très belles paroles au sujet de la croix comme celles-ci: «Tu as le choix entre être écrasé par ta croix ou la porter. Mais tu ne pourras la porter que si tu découvres son sens et sa fonction. La croix te ramène à ta vérité, à tes justes dimensions de créature fragile et petite, pauvre et faible. La croix peut te libérer de la manière de vivre dans laquelle tu risques d'étouffer. La croix peut te délivrer de la médiocrité. Elle ne te sauvera pas de la souffrance, mais elle lui donnera un sens[1].»

Ces paroles m'apportèrent de vraies révélations et la découverte d'une croix nouvelle. Aucune des paroles de l'aumônier n'aurait pu me rejoindre comme ces écrits. Pour la deuxième fois, sans s'en douter, cet aumônier servait d'instrument au Seigneur. Durant mes deux semaines et demie, jamais je n'ai raconté à ce prêtre les bienfaits de ses deux visites. Au bout d'un an, en passant à la porte de son bureau, sans arrière-pensée, j'entrai dans son bureau pour le saluer et pour l'encourager à continuer son apostolat. Je lui ai raconté ce que ses deux visites avaient eu de bénéfique à mon endroit. «Continuez comme Jésus à passer en faisant le bien.»

Samedi midi, une garde-malade arrive en me disant: «Madame Giguère, je vous apporte une excellente nouvelle. Le médecin a prescrit une chambre privée pour vous. Je vais m'occuper de vos bagages.» Arrivées au quatrième étage, elle me dirige vers une chambre spacieuse. Au centre, une grande fenêtre d'où entre une brise légère qui fait bouger doucement les rideaux. Les rideaux battent-ils au rythme des espérances de celui ou de celle qui a vaincu la maladie et qui vient de partir victorieux de cette chambre ? Cette brise balaie-t-elle d'un mouvement poli la senteur des souffrances de celui qui vient de mourir n'ayant pu combattre et survivre à la maladie ? Face à mon

1. Source non retracée.

lit sur le mur, un crucifix suspendu entre ciel et terre semble dire: «Je suis venu, j'ai vu, j'ai vaincu ! À vous de suivre la même route.» J'aurai sûrement besoin de cette présence tout au cours de mon séjour ici.

Passé, Présent, Avenir

Samedi soir, je n'ai pas de visite. Je veux réfléchir à nouveau sur ma vie et essayer de comprendre ce qu'est le passé, le présent, l'avenir. Selon mon habitude, je me servirai de symboles afin de mieux comprendre. Je situe ma vie sur un chemin transversal où se trouvent allongés mon passé, mon présent et mon avenir. Sur une demi-partie de mon chemin est situé mon passé: mes cinquante-deux ans. Ces années vécues, je les symbolise par une mosaïque multicolore dont les pièces s'emboîtent les unes dans les autres, formant un ensemble merveilleux ! Chacune représente pour moi un jour vécu de ma vie. Il y en a de toutes les couleurs. Celles qui sont de teintes pastel sont pour moi les journées de bonheur, de tranquillité et de paix. Parmi celles-ci s'en trouve une qui, de toute évidence, est la plus belle. Celle qui a été porteuse de la plus grande joie dans ma vie. Celle où j'ai donné naissance à Pierre. Cette pièce domine parce qu'elle permet toute existence de vie, elle a fait de moi une collaboratrice de la vie avec Dieu. Les pièces posées ici et là de couleurs brunes, grises, représentent toutes mes épreuves, souffrances et deuils passés.

Une toute petite pierre noire ressort avec une évidence marquée. C'est avec certitude la reproduction de mon cancer. Je la regarde fixement sans trop d'amertume. Sans contredit, elle est la pièce dominante par excellence de ma mosaïque parce qu'elle fait ressortir toutes les autres avec une attirance qui ne se dément pas ! Elle est comme cette peinture de Rembrandt qui met en scène le père et l'enfant prodigue. Toute floue, de couleurs neutres, mais au centre on y voit deux mains tendues pour accueillir et un coeur pour aimer. La clef de l'énigme et toute la raison d'être de cette peinture se trouve là. La petite pierre noire était celle qui mettait un arrêt négatif dans ma vie. J'ignorais à ce moment précis que c'était pour moi le démarrage d'une nouvelle vie remplie de découvertes psychologiques et spirituelles jusqu'à ce jour ignorées et qui font maintenant ma joie de vivre.

Je dis que j'ai peur de la mort ! Y a-t-il une chose à laquelle je m'accroche autant qu'à mon passé ? Qu'est-ce qui est plus fort que mon passé ? Dès qu'un instant est vécu, il meurt instantanément. La mort n'arriverait donc pas uniquement à la toute fin de ma vie, mais j'assiste à toutes ces petites morts de chaque instant au fur et à mesure qu'il se vit ! Ces instants sont du passé, c'est fini, c'est mort ! Si toutes ces pièces de la première partie de ma mosaïque appartiennent au passé, il me faudra par conséquent les oublier. Même les ignorer puisqu'elles ne peuvent plus rien m'apporter dans la vie. Inutile de les soulever à répétition. Elles furent si pesantes à porter que j'ouvrirais à chaque fois la plaie en faisant un retour à l'arrière et en jouant dans mes vieilles blessures. Comme j'aurai de la difficulté à changer du jour au lendemain ma façon de vivre ! Moi, femme déterminée, qui planifiais tout pour l'avenir et qui avais la manie d'empiler les étapes difficiles de ma vie les unes sur les autres ! Lorsqu'il m'en arrivait une nouvelle, je ramenais à la surface les anciennes.

Vivre un jour à la fois

Je me resitue au centre de mon chemin tranversal avec mon présent, cet aujourd'hui qui deviendra le passé de demain. Il me faut donc le vivre en plénitude. Je sais qu'il ne reviendra pas. Vivre, c'est exister aujourd'hui et découvrir la richesse que l'instant présent lui-même peut m'apporter, puisque c'est le seul que je peux me permettre de vivre vraiment. Mon bonheur dépendra de la manière dont je m'y prendrai pour vivre chaque instant de ce jour. Tout d'abord, le voir cet instant, puis le vivre pleinement et le savourer en dégustant toute sa saveur. Ma vie sera ce que je la ferai ! La trame de la vie tissée au fil des jours et des ans finira par donner une pièce montée de toute beauté, dépendamment cependant de la façon dont je la tisserai. Présentement, on a coupé les fils en travers de ma pièce au métier ! Il me faut les rattacher un à un et continuer à passer la navette au fil des jours et des ans de ma vie. Au cours d'une journée, combien d'heures je passe dans le passé et dans l'avenir ! ... C'est en faisant ce calcul que je réalise que j'ai toujours vécu **Une vie à la fois.**

Vivre un jour à la fois, c'est bénéficier au maximum du moment présent, sans arrière-pensée pour celui d'hier, en ne faisant aucune place pour celui de demain. Serait-ce le seul moyen d'être heureux que de récolter les miettes de bonheur que Dieu m'offre chaque jour ? Demain, je ne retrouverai pas sa saveur. Un autre instant aura besoin de toute mon attention. Il n'y aurait donc qu'une manière de vivre réellement: c'est de commencer chaque jour avec l'intention de le vivre le plus à mon avantage. J'ai le droit d'être heureuse aujourd'hui. Je ne permettrai plus aux inquiétudes de demain de dérober ce qui m'appartient aujourd'hui. Le soir venu, je pourrai me dire: «Aujourd'hui, j'ai vécu. Hier éteint, demain naîtra !» J'en conclus que dorénavant, il me faudra apprendre à vivre **Un jour à la fois**.

«À chaque jour suffit sa peine» s'avère donc un adage véridique ! Mon père avait raison de dire: «Dans le temps comme dans le temps.» J'ai cependant attendu d'être mise au pied du mur pour expérimenter cette méthode vieille comme le monde. Je croyais posséder la bonne manière de vivre et trouvais inconcevable de penser qu'à mon âge un changement d'habitudes demeurait dans le domaine du possible. Comme nos racines nous retiennent ! On les croit implantées à jamais ! Changer mes attitudes n'entrait pas dans ma façon de voir les choses. Je me sentais bien comme ça et je désirais que personne ne vienne déraciner ce qui se trouvait si profondément ancré en moi. Cela peut aller lorsque ne survient aucun inconvénient, mais lorsque surgit une fantaisie de Dame nature ou une épreuve marquante, ça devient plus difficile de fonctionner normalement. Chaque jour apportera ses étapes comportant des difficultés. La méthode de vivre **Un jour à la fois** sera la plus efficace parce que je sais à l'avance que chaque jour sera difficile et que chaque vingt-quatre heures vont m'apporter des développements auxquels je n'ai pas l'habitude. Donc, un jour à la fois me suffira.

«Je t'ai donné toute ma vie. Me donneras-tu ta journée ?» (auteur inconnu)

Le soir venu, je pose ma pièce de mosaïque d'après les événements vécus. J'en choisirai les couleurs appropriées à mon état d'âme, et en paix, je laisserai le soin à mon sommeil de la nuit de bien imbriquer cette pièce aux autres.

En avant de moi se trouve l'avenir de demain ! Tout droit, un long chemin vierge qui devra être parcouru. Combien me reste-il de milles à parcourir ? Pourquoi me poser la question alors que je sais que c'est Dieu qui en trace l'itinéraire, le plan pour moi. Il me laisse cependant toute la liberté de vivre ma petite vie à mon goût. Il est là, Lui, au bout du chemin qui m'attend, me voit tomber, me relever et supplier. Mais ça ne me fait rien, parce que je sais que Lui-même est tombé trois fois. Ce qui compte, c'est de me relever, voilà toute la différence ! Je m'accroche à cette phrase que j'ai lue quelque part: «Celui qui tombe et qui se relève est plus fort que celui qui n'est jamais tombé !» Il m'apporte son support lorsque je n'en peux plus et me redonne le courage de continuer, comme il l'a fait dans la chapelle.

Je suis seule sur mon chemin, mais de chaque côté de moi se trouvent tous les êtres humains qui, comme moi, essaient de monter plus haut, toujours plus haut. Dans les ténèbres que je vis, il y a toujours d'un côté ou de l'autre un bon samaritain qui est là en temps opportun pour m'aider à me relever et pour me dire: «Ne lâche pas Marcelle, l'essentiel est là tout droit devant toi. Continue ! C'est là le but à atteindre.» Il a dit un jour: «Je m'en vais préparer une place et là où je serai, vous y serez vous aussi.» En effet, un jour Il me rappellera à Lui, les bras ouverts, le coeur débordant d'amour et me dira: «Viens Marcelle, finis la course à la vie, les souffrances, le cancer, te voilà rendue aux frontières de l'invisible. Frappe à la Porte de la Résurrection, on t'ouvrira, on t'y attend; viens enfin connaître avec Moi l'apothéose de ta vie: la Vie Éternelle.» C'est alors qu'enfin, je connaîtrai le vrai pourquoi de ma vie.

Je ne peux rester insensible à toutes ces découvertes. À ce moment bien précis, elles ont été pour moi un regain d'espérance et de goût de vivre. J'avais plus que jamais le désir de vivre ! C'est ça la vie, rien que ça la vie ! Des instants vécus un à la fois un jour à la fois. Pour la première fois, j'ai compris combien la vie était belle, bien constituée et qu'elle valait la peine d'être bien vécue !

«Le plus grand explorateur sur cette terre ne fait pas d'aussi longs voyages que celui qui descend au fond de son coeur» (Auteur inconnu)

La santé

Par la suite, je me suis mise à réfléchir sur la santé ! Si la vie ne m'appartient pas, la santé ne m'appartient pas davantage puisqu'elle dérive de la vie. Au moment où je sens s'amoindrir la santé que j'ai prise pour acquise, je crie à l'injustice. J'étais sûre que rien ne viendrait l'effleurer un tant soit peu. J'admettais que cela puisse arriver à d'autres, mais à moi ! C'était impossible, inconcevable, inadmissible qu'une maladie m'atteigne. Encore moins cette maladie qui en général ne pardonne pas. Dès qu'un léger malaise pointe à la surface, vite l'inquiétude surgit, le stress apparaît et tous les médicaments sont acceptés pour enrayer au plus vite la maladie et toutes ses séquelles. Mais lorsqu'il s'agit d'une maladie incurable ou mortelle, il n'y a aucune précaution à prendre pour l'exempter. L'inévitable est là !

«La santé, c'est la plus grande richesse que l'on puisse posséder sur la terre.» Cette phrase me revenait sans cesse. Malheureusement, on ne le réalise que lorsqu'on l'a perdue. Maintenant que je réalise que je l'ai perdue, c'est là que s'éveille en moi la richesse inestimable de ce bien-être qu'est la santé. Mais il est trop tard puisque je ne suis là que pour en constater la perte. Je ne peux que réaliser en même temps mon oubli de remercier Dieu pour cette santé donnée durant ma vie passée.

Si encore j'en avais pris soin. Si j'avais pensé à l'incommensurable richesse qu'elle me procurait, j'en aurais découvert la véritable valeur. J'aurais fait des placements beaucoup plus profitables et à meilleurs rendements plutôt que de dépenser au fur et à mesure ce potentiel de forces et de résistances et d'en perdre non seulement les dividendes mais aussi le capital tout entier. Je réalise aujourd'hui combien ma vie a été une course effrénée, axée uniquement sur le travail. Tout ce qui comptait pour moi, c'était le rendement, l'accomplissement de ce que je projetais. Fatiguée ou non, j'allais jusqu'au bout de mes objectifs. Sans m'en rendre compte, j'étais toujours à la limite de mes forces physiques qui n'avaient aucune chance d'accumuler des réserves. Sans ménagement, je n'ai donné aucun répit à mon corps qui réagissait à sa façon. Mon système immunitaire personnel était moins apte à me défendre contre toute maladie.

Combien vite j'ai épuisé ma vie et ma santé ! Avec quelle hâte fébrile j'accomplissais tout avec un stress incontrôlé. Mon imagination était si fertile et occupée que mon subconscient ne pouvait parvenir à tout commander à mon corps. Je n'étais pas à l'écoute de mon corps. Pourtant, subtilement, il savait manifester lui-même ses propres besoins, ses attentes. C'était à moi d'entrer en harmonie avec son dispositif de bon fonctionnement. Dieu m'a créée en pleine forme et resplendissante de santé. C'est moi qui, de par mon désir d'autonomie maladive et mon abus de liberté, ai contribué à l'amoindrir à vouloir trop courir. L'homme veut et peut dépasser l'homme, mais l'homme ne peut dépasser Dieu.

Comme j'ai abusé excessivement de ma santé en m'empiffrant inutilement de tout ce que je sentais le désir d'ingurgiter, sans pour autant penser que je nuisais au bon fonctionnement de mon organisme. Un traitement sévère contre le sucre et le gras m'est offert en remplacement de ma gourmandise. C'est aujourd'hui que je constate combien je mangeais mal en absorbant ce qui était bon à mon goût, mais qui ne l'était pas pour ma santé. Mon régime n'était pas équilibré, donc, c'était mon organisme qui en souffrait. Le corps physique a été constitué par Dieu pour des fonctions normales soutenues par une alimentation saine. Mieux vaut tard que jamais. Je mange maintenant plus de fruits et des légumes qu'auparavant et moins de dessert. Comme c'est difficile à mon palais et comme c'est agréable à mon corps !

Aujourd'hui, après trois ans de convalescence, j'en ai appris des choses au sujet de la santé. Il paraît que je travaille beaucoup plus lentement. J'ai suivi des cours de relaxation et la sieste du midi occupe maintenant une place de choix dans ma journée. J'abusais de mes jambes en travaillant pratiquement toujours debout. J'ai appris à les reposer en accomplissant tout ce que je peux faire assise. Ma santé est inférieure comparativement à il y a trois ans, mais puisque je connais à présent la valeur réelle du peu que j'ai, je trouve que malgré tout, je dispose d'un potentiel me permettant de fonctionner avec ce qu'elle est devenue.

Les craintes de mon mari

Dimanche après midi, première rencontre avec mon mari depuis la fameuse nouvelle. Difficile pour lui d'aborder le sujet. Nous parlons de tout et de rien, puis nous entrons dans le vif du sujet sans trop nous attendrir sur la situation. Je me sais résignée. Partage-t-il mes sentiments ? Il se demande si vraiment je pourrai passer à travers cette terrible épreuve. Par notre dialogue, je sens que pour lui comme pour moi le sort en est jeté. Il nous faut accepter d'avoir été choisis et en subir les conséquences ainsi que la nouvelle vie qui s'offre à nous tous.

Je sens qu'il scrute mes réactions, mes paroles, mes gestes afin d'avoir un aperçu de ce que sera mon comportement face à cette situation. J'ai l'impression qu'il s'interroge à savoir si mon moral tiendra bon ou si je sombrerai dans le désespoir ! À son grand soulagement, il constate au cours de sa visite que je ne peux pas être plus forte dans les circonstances. Déjà, je parle de ce contretemps comme d'une situation à laquelle il faudra nous conditionner. Lui comme moi avons hâte que l'opération appartienne au passé afin de connaître les degrés de la maladie et quel ravage existe vraiment à date. À mon insu, lui et ma famille craignaient que la contamination ne se soit étendue. Même si je leur dis qu'il n'en va pas de la sorte, je sens leurs réticences et leurs hésitations à croire que rien d'autre ne surviendra.

Désenchantement

Le soir, on s'adonna aux préparatifs d'usage de la veille d'une opération. On me fit les recommandations habituelles afin que tout mon côté soit désinfecté. Il ne fallait pas que le chirurgien voie aucun petit poil au-dessous du bras. Normalement, les infirmières font ce travail, mais avec les coupures gouvernementales, les patients doivent participer. Il faisait très sombre dans la salle de bain et croyant que le rasoir possédait sa lame, j'ai procédé au rasage. Dans la demi-obscurité, je n'ai pas réalisé mon incompétence en la matière. J'étais toute fière de montrer par la suite mon travail terminé. À mon grande surprise, on m'annonce que j'étais pourvue de poils autant qu'avant. C'est là que nous avons réalisé que la lame n'était pas en état d'opérer. Ce qui a contribué à rendre l'atmosphère joyeuse dans la chambre. Et j'ai tourné en boutade le fait que la veille mon sein ne voulait à aucun prix se faire toucher. Maintenant, mon dessous de bras récidive à sa façon.

Le lendemain, j'étais à jeun. Arrive le docteur Deschênes qui s'excuse. Il paraît que je n'étais pas cédulée sur l'horaire du lundi à la salle d'opération. Il me fallait attendre au lendemain. Attendre, toujours attendre ! Je savais qu'il avait enlevé la tumeur jeudi, mais des cellules cancéreuses, des métastases, pouvait-il en rester ? Auraient-elles le temps de rejoindre d'autres parties de mon corps ? Je n'avais qu'une idée en tête: me départir de cette monstruosité et de ses dérivatifs. À mon grand désenchantement, je trouvais que les retards de toutes sortes jouaient en faveur de la bête. Le chirurgien semblait aussi déçu que moi.

Mon mari ne vient jamais la journée d'une opération. Sa soeur, qui depuis le début partageait ma souffrance, arriva pour apprendre qu'elle avait fait cent milles pour rien. Elle s'en retourna déçue elle aussi. Elle se reprendrait demain. Le soir, il a fallu recommencer les préparatifs de la veille, y compris «l'opération rasoir» !

Femme à part entière pour la dernière fois

Mardi matin, 20 mars 1984. Je suis bien cédulée pour 9 heures. L'heure a sonné. La civière arrive pour venir chercher sa condamnée à quoi... Les corridors me semblent longs et les étages n'en finissent plus. L'endroit fatidique de l'exécution arrive maintenant trop vite.

Mon médecin est déjà là. J'entends à nouveau parler les infirmières de tout ce qui est vivant. Qu'est-ce que je viens contaminer ici ? C'était pour moi comme la vie face à la mort. Déjà, je me voyais comme une marginale de la société. Je n'étais qu'à demi-étourdie, mais j'avais parfaitement conscience que je vivais les derniers instants de ma vie comme femme à part entière. Qu'à mon réveil, je serais une femme diminuée à jamais et qu'une partie de moi-même deviendrait poussière. J'avais l'impression d'assister à une partie de mes propres funérailles. Psychologiquement parlant, les derniers instants avant l'opération se révélèrent les plus difficiles.

Je savais que j'avais mis mon espérance en mon médecin. Comme j'aurais voulu lui dire, lui crier, le supplier de regarder avec un microscope partout afin d'enlever toutes les cellules cancéreuses ou métastases néfastes. Le docteur Deschênes exerce sa profession honnêtement, consciencieusement. Je me dois de mentionner son humanisme, sa compréhension, sa disponibilité; tout ce dont on a besoin en pareille circonstance.

Impressions postopératoires

Premier réveil à ma chambre. L'horloge marque trois heures. J'ai l'impression qu'il fait noir. On a en effet tiré les rideaux. J'entends ma belle-soeur dire à mon fils au téléphone: «Elle est arrivée. Je la trouve d'un calme extraordinaire. Aucune plainte. Elle lève son bras de temps en temps pour voir sans doute s'il peut bouger.» Le médecin vient voir sa mutilée et me dit tout bonnement: «Demain, je viendrai vous dire ce que je vous ai fait.» J'étais parfaitement consciente d'être éveillée. Je me souvenais de quelle opération je sortais. Une insousciance m'envahissait, je dirais même une indifférence. Un calme indescriptible et une paix intérieure se faisaient sentir en duo avec une relaxation physique sortant de l'ordinaire.

Après l'heure du souper, je m'éveille à nouveau. On m'invite à me rendre à la salle de bain. Comme un robot, j'obéis docilement sans me demander si j'en ai la force. Mais en faisant un effort pour bien m'éveiller, j'aperçois mon accoutrement. Ma main était allée confirmer les ravages de l'opération ! Je sais qu'on m'a enlevé un sein et je m'accroche dans des tubes insérés dans mon sein. Ils sont pleins de sang. Ce qui me surprend le plus, c'est que mon bras me fait beaucoup plus mal que mon sein lui-même. Que m'a t'on fait ? On ne m'avait prévenu d'aucune façon ou presque de ce qui pourrait et devait se passer à l'opération et de ce qu'on pourrait m'enlever.

Malgré ces constatations et découvertes, le calme demeure toujours en moi. On m'aide à m'asseoir. Oh ! souffrance que ça fait mal ! On dirait que j'ai un paquet d'aiguilles dans le dos qui me font souffrir atrocement. Mon bras refuse carrément de m'aider à m'asseoir. Je suis plus handicapée que je ne le croyais. Je n'étais pas insouciante de ce que je constatais, mais comme indifférente à l'image que pouvait projeter mon corps et ses malaises. J'avais envie de dire: «Je suis comme ça. C'est comme ça que je suis. Point.» Sans plus de commentaire.

Je reviens de la salle de bain toute fière de pouvoir me tirer d'affaire seule. Ma belle-soeur s'installe tant bien que mal sur le fauteuil pour la nuit. Sa présence me rassure. Le lendemain, je m'éveille toute gaie devant cette journée qui commence. Une fois le cauchemar du matin passé, je suis vraiment positive face à la réalité. Le calice déborde.

Il me faut le boire goutte à goutte et m'habituer à cette nouvelle saveur jusqu'à ce qu'il se vide pour s'emplir à nouveau et m'offrir une saveur différente. J'essaie de m'asseoir dans mon lit, mais je retombe. Je réalise que tout mon côté droit ne peut m'aider à me relever. Le handicap fait son oeuvre. Mon bras gauche sera donc mon point d'appui. En m'appuyant sur celui-ci, je parviens à soulever mon corps. Lorsque je bouge, c'est une souffrance que de sentir entrer les drains dans ma chair. Dans le dos, j'ai toujours cette sensation d'aiguilles qui piquent ensemble sur une surface de deux pouces de diamètre. C'est à en couper le souffle !

Je suis enfin assise sur le bord de mon lit pour déjeuner et m'habiller. Je me débrouille avec l'aide de ma belle-soeur. La jaquette de l'hôpital me donne un air malade... Enlevons-la ! Mais comment faire pour mettre la mienne ? L'infirmière a dit de commencer par le côté malade. Que ça fait mal ! Le mal veut l'emporter sur la fierté, mais à deux, nous y parvenons. Je fais un brin de maquillage et j'applique un peu de rouge à mes lèvres. Je veux donner un coup de brosse à mes cheveux, mais je n'y parviens pas. Mon bras ne lève que d'environ dix pouces. Ma belle-soeur termine le tout. Les infirmières semblent stupéfaites devant mon ardeur et devant mes forces. Elles s'étonnent surtout de réaliser que le coeur et le goût y sont ! Elles semblent se dire: «Comment, après une telle opération, peut-elle sembler heureuse et confiante à l'aurore d'une première journée d'apprentissage de cette nouvelle vie ?»

Il y en a des pires et des moindres

Le médecin arrive pour sa visite quotidienne. Selon la coutume, il s'est assis sur le bord de mon lit. Je n'ai pas l'air d'une opérée de la veille et il en est content. Il semble se dire: «J'ai bien dirigé mon bistouri. Elle est maintenant en mesure d'être renseignée sur son opération.» Nous regardons ensemble la plaie. Je suis cousue avec du gros fil noir du milieu de la poitrine jusqu'en dessous du bras et jusqu'au milieu de ce dernier. Tout, tout, tout est enlevé. Il ne reste que la peau et les os ! Je suis face à l'inévitable, à la réalité. Pour la première fois je vois mon allure, ma physionomie, ma disgrâce, mon physique défait à jamais ! À ma grande surprise, je regarde le tout dans le plus grand calme. Il m'explique qu'il m'a enlevé non seulement le sein, mais aussi tous les ganglions en dessous du bras. Il a procédé à une mastectomie radicale modifiée. C'est un cancer hormono-dépendant. Le tumeur Épithélioma canalaire infiltrant. Attentive, je ne lui pose qu'une seule question: «Est-ce que mon cas est considéré comme grave ou est-ce dans la normale ?»

Lui de me répondre: «Il y en a des pires et des moindres. Nous avons envoyé vos ganglions pour analyse au laboratoire afin de déterminer s'il s'en trouve parmi eux qui sont cancéreux. Tout se déroule présentement dans l'ordre. Votre bras sera fragile. Avec de la patience et des exercices répétés tous les jours afin de renforcer les muscles, il reprendra vie. Il lui faudra se réadapter à la perte de sa constitution normale.»

Quelle surprise de constater que l'incision elle-même et la perte de l'intérieur du sein ne me causent pratiquement pas de douleur. C'est plutôt mon bras qui me fait souffrir continuellement. Il tiraille. Il est raide. Il me dérange vraiment. J'ai la nette impression que jamais je ne pourrai plus m'en servir. Le médecin m'explique que toutes les parties opérées sont et seront très longtemps désensibilisées. «Ici, me dit-il, vous avez un hémo-vac, c'est-à-dire un sac qui est branché sur deux drains qui servent à recueillir le sang qui pourrait se ramasser sous la peau de votre sein. C'est une partie très saignante et la date de votre départ dépendra de la quantité de sang accumulée quotidiennement.» J'écoute attentivement les explications du médecin et je réalise l'évidence de la situation. Mais rien ne m'affecte, ne m'angoisse, ne me surprend, même si je ne connais absolument rien de cette maladie. J'ai subi l'ablation d'un sein à cause d'une tumeur cancéreuse. Je réagis devant cette opération comme devant n'importe quelle opération. C'est comme ça...

La visite de mon fils

Dans l'après midi m'arrive une visite des plus réconfortantes: celle de mon fils. Nos yeux se croisent, nos pensées se rencontrent et tous les deux, nous faisons face à cette nouvelle adaptation. Il savait qu'il aurait à subir et à partager les conséquences de la maladie. Lorsqu'on aime quelqu'un, on partage sa souffrance et parfois on se sent très démuni devant un fait accompli. Moment rempli d'émotions de part et d'autre. Il me prend les deux mains et m'ouvre les deux bras et m'embrasse en me disant: «Maman, tu ne peux pas savoir comme je suis fier de toi ! À tous les jours depuis que tu es ici, je te parle au téléphone. Comme j'admire ton courage et ton grand calme, ton acceptation dans l'épreuve ! Je te vois toute souriante malgré les événements. Ça me dépasse ! Tu m'avais dit que tu t'étais jetée dans les bras du Seigneur à la chapelle, mais je ne pensais pas que ça irait aussi bien. Tu sais maman que tu ne mérites pas ça ! Je ne sais pas pourquoi ça t'arrive, mais ce n'est pas pour rien. Tu rencontres beaucoup de gens, toi. Tu vas sûrement partager avec les autres ta façon d'accepter. Ça ne pourra pas faire autrement que de les aider.»

À ce moment-là, ni lui ni moi ne pensions que ses paroles deviendraient réalité. Aujourd'hui, je peux dire qu'on m'a demandé de donner mon témoignage à divers endroits et que les invitations continuent. Le Seigneur se sert parfois de ce que l'on a de plus cher pour nous parler. Anxieux, angoissé à son arrivée, il repart soulagé, voire même assez encouragé, du moins apparemment.

Mon anniversaire de naissance

J'ai dormi toute la nuit sans m'éveiller. À 5 h 45, comme à tous les matins d'ailleurs, on me réveille pour vider mon hémo-vac. Drôle de réveil et subtile façon de nous ramener vite à la réalité. À neuf heures, je m'éveille à nouveau. Comme la levée du corps est pénible ! J'ai toujours cette sensation d'aiguilles dans le dos. Je crois que mon bras et mon sein vont s'ouvrir, mais une fois assise, je respire un peu plus à l'aise.

Je prends conscience que nous sommes le 22 mars et que, par tradition, cette date a toujours été soulignée par mon anniversaire de naissance. L'heure de mes 52 ans vient de sonner. Mais est-ce l'heure de la vie ou de la mort ? Cette année se terminera-t-elle mieux qu'elle ne commence ? Comment passer un anniversaire dans un hôpital après avoir appris la nouvelle qu'on est cancéreuse ? Qu'on vient de se faire enlever un sein ? Oui, comment le passer dans la joie, le calme et la paix ?

Je demeure tout de même très confiante. Vers les onze heures, de toute forte que j'étais, voilà que je me sens faible, lasse et que la lumière m'aveugle. Comme je me sens fatiguée ! J'ai l'impression de rentrer dans mon matelas ! Mes souffrances physiques semblent s'accentuer. Je me sens étourdie et mon coeur bat difficilement. Que se passe-t-il ? J'ai l'impression que je vais m'évanouir. Une infirmière vient prendre ma pression artérielle et constate, en effet, qu'elle est très basse. Elle me recommande de ne faire aucun effort et de bien me reposer sagement. Ce sont tout simplement des suites du choc opératoire. Faiblement, je prends mon repas du midi et je me couche pour une sieste réparatrice.

Des membres de ma famille, de la visite spéciale de La Tuque, arrivent pour célébrer, malgré les lieux et les circonstances, mon anniversaire. Un groupe de mes amies de la Beauce les suit. C'est avec les deux bras ouverts que je les reçois tous et que je les embrasse. Une amie de ma paroisse se fait le porte-parole de toutes mes connaissances et se fait le facteur pour au moins une trentaine de cartes d'anniversaire ou de prompt rétablissement. Soudain, une idée saugrenue me vient à l'esprit. S'il fallait qu'une d'entre elles craigne que ça s'attrappe comme moi je le croyais autrefois, et qu'elle ait dédain de moi ! Les réactions des gens face à cette maladie sont si imprévisibles !

Je sens chez certaines un malaise. Je vois des yeux qui semblent dire de quoi va-t-on parler avec elle ? Veut-elle en parler ? Doit-on parler de tout, sauf de cela ? Alors, c'est moi qui engage la conversation et qui en parle comme d'une chose normale. Je décide de ne pas jouer sur les mots. Tumeur maligne ou bénigne. Cancer... Je suis cancéreuse. Point !

Donc, inutile de jouer la comédie. Je parle ouvertement et eux se mettent à faire de même. Pourquoi le mot cancer fait-il si peur ? Pourquoi ne veut-on point le prononcer ? C'est déjà suffisant pour le malade d'être affligé de la maladie sans qu'on le prive pour autant d'une conversation intelligente sur le sujet, comme s'il s'agissait d'une maladie honteuse !

Je goûtais en leur compagnie une si grande joie que j'en oubliais mon âge et ma plaie béante. C'était la fête dans la chambre et je réalisais que des jours heureux m'étaient encore destinés. Avant leur départ, elles m'offrent de prier sur moi. Personne ne demandait pour moi une guérison. Il s'agissait plutôt de prières d'action de grâces et de remerciement devant l'abandon qu'il leur était offert de constater.

J'essaie de me reposer un peu mais mon médecin arrive. Il réalise qu'il y a une fête en cours et je partage mes impressions d'anniversaire à l'hôpital. Il faut tout de même en venir à l'évidence. J'ai perdu un sein, mais je possède encore ma famille et mes amis. Cet anniversaire restera le plus marquant de ma vie. Au souper, j'ai droit à deux desserts puisque mon mari me téléphone pour me souhaiter bonne fête. Il y met la forme mais je sens combien, au fond de son coeur, il trouve ces souhaits difficiles à prononcer. Puis c'est au tour de Pierre et des autres membres de ma famille. Je sens chez tous un malaise dans la voix ou dans les paroles en me disant «Bonne Fête». Voilà qu'arrivent des fleurs. L'infirmier est tellement pressé qu'il les garoche dans un vase sans eau et ne porte aucun soin à les disposer de façon agréable ! J'aurais voulu des fleurs, mais des fleurs tout autour de ma chambre parce qu'elles représentent pour moi la vie ! Je souffrais de les voir sans eau. Elles ressemblaient à mon corps qui ne disposait pas du vrai remède pour le faire vivre indéfiniment.

Un cousin, frère des Écoles Chrétiennes, me présente une rose naturelle. Comme je voudrais qu'elle dure longtemps et qu'elle ne connaisse jamais les terreurs de la mort ! Taquin, il me suggère d'écrire la petite histoire de ma vie. Sur le coup, j'ai ri de bon coeur. C'est maintenant que je réalise qu'il a été le deuxième à m'en donner l'idée après Pierre.

Une belle-soeur et son mari viennent me voir. Elle a sensiblement le même âge que moi. Je la regarde et j'éprouve un fort sentiment d'envie. Je la trouve chanceuse d'aller et venir librement avec toute sa petite personne au complet. Si seulement elle était consciente de son bien-être, de sa pleine jouissance de la vie ! Si elle réalisait qu'elle possède la plus grande richesse au monde: la santé ! Comme j'aurais voulu lui crier, lui faire part de mes sentiments et lui dire: «Si tu savais comme je t'envie d'être une femme à part entière !» Je m'exempte de lui en parler et j'oublie le sujet.

J'ai pris un repos bien mérité en repassant les événements de la journée. J'ai réalisé comme il était bon d'avoir dans ces moments-là de la famille, des parents et des amis. Jamais un anniversaire ne m'aura amené autant de personnes pour me gâter ! Malgré les faiblesses de l'avant-midi, je demeurais toujours fière de moi et des réserves d'énergie de mon corps. J'en ai conclu que je n'avais qu'à lutter, qu'à me battre et qu'ainsi je pourrais relever ce défi que j'avais devant moi: le cancer qui amène la mort !

Prothèse et exercices

Le lendemain a lieu ma première rencontre avec mon mari. Je crois que ces minutes se passent de commentaires... Après une vingtaine de minutes seulement, on me demande à la clinique du sein pour me procurer des renseignements sur les prothèses et les exercices pour mon bras. J'appréhendais tant ce moment ! C'était comme si on me disait: «On t'a enlevé un sein, en voici un autre !» Pour la première fois, on me ramène sur les lieux où j'ai appris que j'avais le cancer. Je ressens un certain pincement au coeur. Une infirmière se donne assez de mal à essayer de me confectionner un sein artificiel en kodel ayant à peu près la forme de mon autre sein. Elle me montre une prothèse commerciale. Je la touche et je frémis. Je ne veux pas de ce sein artificiel. J'ai suffisamment à m'habituer aujourd'hui d'avoir perdu un sein ! Je prends cependant toutes les informations et je verrai en temps opportun. Elle me donne toute une série d'exercices à exécuter si je veux récupérer mon bras, et ça, pour plusieurs années. Je dois le préserver des brûlures, des piqûres d'insectes et des plaies à cause de son immunité réduite. Défendu de travailler la terre avec mes doigts, de m'exposer au soleil trop ardent, de faire prendre ma pression dans ce bras, d'y recevoir des injections également, etc... Après ces conseils utiles, elle me donne des instructions par écrit sur ma prothèse et sur les exercices, le tout déposé dans une jolie pochette de tissu bleu pâle: que d'attention et de stimulants pour ma féminité ! Je peux retourner à ma chambre avec mes trésors cachés sans attirer les regards indiscrets.

Le réconfort de la visite

Le cinquième jour, une de mes soeurs et son mari viennent me visiter. Elle est ma marraine et confidente dans mon cheminement spirituel. Elle se trouve la seule dans ma famille avec qui je puisse partager sur le sujet de la spiritualité. Je me sens donc très à l'aise pour parler d'abandon avec elle. Et elle se réjouit du fait que j'accepte la compagnie de Dieu dans cette épreuve. D'autres se contentent de dire: «Marcelle, elle a toujours eu une grosse force de caractère. Nous savions qu'elle s'en sortirait bien.» Je laisse dire et faire tout en respectant l'incrédulité des uns et des autres. En mon for intérieur, je sais que cet abandon ne vient pas de moi, mais plutôt de Celui qui seul peut me le donner.

Mon fils se pointe à l'heure du souper. Je lui offre de partager le menu. Il grignotte avec peu d'enthousiasme. Je sens que pour lui l'avenir paraît plutôt sombre. Il craint de perdre les deux femmes de sa vie. Comme je souffre de le voir souffrir, beaucoup plus que de me voir avec le cancer ! Moi, j'ai 52 ans à mon crédit. Tandis que lui est dans la fleur de l'âge et de l'espérance. À mes yeux, il m'apparaît que je n'ai rien. Cependant, lui, je veux tant le savoir heureux et plein d'espérance en l'avenir. Si j'en avais eu le choix, j'aurais facilement accepté de souffrir en compensation de son bonheur.

Durant mon séjour à l'hôpital, comme je trouvais doux d'avoir le support moral des miens. Je me sentais moins seule dans l'épreuve, entourée d'affection et de compréhension. Ces minutes passées en leur compagnie font l'effet d'un baume sur ma plaie. Je ne reproche rien à ceux qui ne sont pas accourus, mais comme ils m'ont manqué !

C'était comme une chaîne d'amour coupée par quelque maillon. Jamais au cours de ma vie je n'avais senti le besoin aussi marqué de voir ceux que j'aimais.

Mort de mon voisin d'en face

Dimanche matin, mon voisin d'en face n'est plus. À sa place, un amoncellement de draps qui semblent dire: «Encore un départ !» «Vite les préposés au ménage ! Venez enlever du décor ces langes et ce qui reste de la senteur de ce malade qui a tant souffert ! Venez ouvrir les fenêtres afin de laisser passer ce qui reste du souffle de ce vivant considéré comme mort !» La bête était trop entreprenante. L'homme n'a pu la vaincre et triompher. Fini l'attachement à la terre. Il n'en a rien apporté en paradis. Serait-ce enfin pour lui le calme, la vraie paix, la plénitude ? Je l'ai vu souffrir énormément. Devra-t-il souffrir encore pour atteindre le but final ? Autant de questions qui me troublent et qui restent sans réponse ! Je sens le besoin de fermer la porte afin d'enlever de ma vue ce décor qui m'attriste. Il me rappelle trop mes deux frères partis de la même maladie: le cancer du poumon. Je veux à tout prix conserver ma jovialité et ma sérénité.

Abandon reçu de Dieu

Depuis ma grosse révolte, que de réflexions, de méditations et de silence ! Depuis l'instant où je l'ai supplié de me donner l'abandon, j'ai subi une grande transformation. À ma sortie de la chapelle, je me sentais légère, allégée de la pesanteur de mon fardeau, toute angoisse face à la maladie était disparue. Le calme et la paix me donnaient une sérénité ignorée jusqu'à ce jour. Mon coeur me faisait voir cette maladie qui jusqu'alors me répugnait, avec une nouvelle conception. Au lieu de me voir face à la mort, je découvrais en moi une nouvelle vie, une douceur face aux gens et aux choses. J'étais heureuse envers et contre tous. Au fur et à mesure que les jours se succédaient, je réalisais que j'avais de la compagnie. Jésus faisait avec moi les stations. Je jouissais de la grâce de connaître l'abandon. Pas mon abandon, mais celui de Dieu qu'aucune étape difficile ne pourra faire diparaître. Expliquer l'abandon à Dieu, voilà une chose très difficile parce que divine.

J'étais parfaitement consciente de tout ce qui se produisait, mais c'était pour moi une situation normale et non alarmante. Comme si ça n'atteignait pas mon émotivité ! Je ne m'apitoyais plus sur mon sort. Ma vie continuait avec des étapes qui se vivaient au jour le jour. Lorsque le médecin m'annonçait un développement quelconque, j'écoutais attentivement la nouvelle sans plus. Jamais je ne faisais une montagne en accumulant étape difficile sur étape difficile. La difficulté qu'il m'était donné de vivre aujourd'hui, je m'y soumettais de bonne grâce et sans aucun effort de ma part. J'avais très peu de mérite puisque ma sensibilité n'était plus troublée par la maladie. Jamais je ne sentais le besoin de questionner le médecin. Il me semblait que je devais laisser libre cours à la maladie. Mon acceptation était chose facile, elle faisait partie du décor. Je sentais une joie de vivre exubérante. J'avais la sensation d'être bien dans mon être malgré la souffrance physique. Je sentais mon corps démuni, réduit, diminué, laid mais ça ne changeait rien à mon moral. Je demeurais calme et sereine.

Qu'est-ce que l'abandon ? Est-ce réaliser sans comprendre ou comprendre sans réaliser ? Peu importe, je n'ai pas à me questionner, à chercher des réponses aux pourquoi. Je goûte simplement cet état d'âme comme étant une période importante dans ma vie, une période lumineuse alors qu'elle aurait dû être terne et morose. Moi qui avais l'habitude de tout planifier à l'avance, enfin, je me libérais de tout protocole, de tout horaire. Je vivais le moment présent. Hier devenait un rêve et demain une vision. Je fais confiance au jour présent. Fini le boulet des jours antécédents à traîner. Je me disais: «Je sais que j'ai bel et bien le cancer. Comment peut-on réagir ainsi devant une telle situation ?»

Moi, j'en savais la raison, mais dans mon for intérieur je me disais: «Comment les autres réagiront-ils devant mon comportement, mon attitude positive et mon acceptation ?» J'avais l'habitude de réfléchir, de m'interroger, de fouiller pour trouver un sens à la réalité. Je me creusais la tête pour trouver la meilleure solution pour m'en sortir. Et voilà que tout bonnement, les réponses venaient à moi sans aucun effort de ma part ! Je réalisais que c'était tout simplement par grâce que je réagissais de la sorte. Je n'avais aucun mérite. J'avais reçu la réponse à ma demande d'abandon à la chapelle.

Ceux qui croyaient que tout m'avait toujours été facile à cause de ma grande force de caractère, ne voyaient qu'une apparence. Au fond, j'avais toujours été une grande sensible. Un être qui refoulait tout à l'intérieur. Un être qui ne laissait jamais transparaître ses sentiments Un être qui était loin d'être la femme forte de l'évangile, mais qui réussissait à coups de volonté. Un être pourvu d'une très légère santé, fait ignoré de plusieurs membres de ma famille. Un être qui vivait en souffrance cachée les événements et les soucis quotidiens accumulés sur ceux du passé. Connaissant mes soubresauts à l'arrivée d'une épreuve, mon tumulte, mon angoisse et mon ébranlement coutumiers, j'étais à même de constater l'immense différence dans ma façon de voir une situation alarmante, j'oserais dire la pire de ma vie, dans une détente et un calme quasi anormaux. C'est ça l'abandon à Dieu reçu de Dieu.

C'était plus que l'acceptation soutenue par ma croyance en Dieu. Je voyais la réalité d'événements aussi désolants que le cancer avec une soumission, voire même un acquiescement volontaire et joyeux. Tout devenait plus facile à mes yeux. Enfin je laissais diriger mon gouvernail par Celui qui sait mener ma barque à bon port. Il y a des arrêts imprévus, des escales forcées qui, vus dans un ensemble, constituent un itinéraire fameusement bien planifié et étudié.

Depuis ma visite à la chapelle , je n'avais reformulé aucune prière verbale. J'avais l'impression d'avoir signé un pacte avec Lui. Face à mon crucifix, assise dans mon lit, en méditant et en contemplant, j'ai compris à ma grande surprise bien des choses sur la souffrance, l'épreuve, l'abandon, la croix et la mort. Pourquoi toutes ces choses si difficiles ?

Qu'est-ce donc que l'épreuve ?

Dans toutes mes réflexions, la réponse la plus difficile à trouver fut celle du pourquoi de l'épreuve, de la souffrance ! Pour découvrir vraiment cette réponse, il m'a fallu aller à la source et à la souche, c'est-à-dire à Jésus. Si le Christ est mort sur la croix pour nos péchés une fois pour toutes, alors pourquoi faut-il que l'on continue à souffrir dans le monde après cette Croix qui nous a sauvés ?

«Le Christ n'est sans doute pas venu sur la terre pour supprimer la souffrance, mais pour nous faire passer de la mort à la Vie. Il veut nous amener au salut tout en nous laissant libres. Il prend le risque de nous laisser affronter nos souffrances, mais ne nous laisse pas les affronter seuls. Il nous laisse le loisir de les affronter avec Lui, et avec Lui, d'être vainqueurs du mal. C'est le but de Jésus de nous faire devenir vainqueurs du mal et de déboucher sur la vie éternelle. C'est ce salut, cette vie éternelle, qui donnent un sens à notre existence. Toutes les autres motivations que nous pouvons avoir à vivre vont s'éliminer les unes après les autres.[1]»

Le Maître de ma vie me laisse libre et ne peut influencer ma vie que si je crois en Lui, si j'accueille ce qu'Il veut me

1. Fernand Sanchez, **Obstacles à la guérison**, C.B., octobre 1984.

révéler sur mon propre mystère et si je laisse descendre en moi les expressions de foi en mes possibilités qu'Il veut me livrer. Serait-il possible que Dieu me croit capable de prendre une voie étroite qui puisse me conduire à la plénitude du bonheur, au lieu d'une voie large où je risque de me perdre ? Lorsque j'ai été confrontée au cancer, j'ai perdu le sens premier de mon existence. Je suis tombée dans le désespoir et le découragement. Parce que tout ce qui se vit autour de nous ne reflète pas toujours le salut et la vie éternelle, mais plutôt des mirages et des illusions. Le chemin que je dois parcourir pour en arriver à vivre en harmonie avec moi-même et avec les autres, c'est Lui seul qui le connaît. Jésus a trouvé sur sa route la Passion et la Croix pour en arriver à rejoindre son Père. Il en est de même sans doute pour moi. Je me dois d'accueillir dans la foi les obstacles qui se trouveront sur mon chemin de vie !

L'épreuve de la maladie m'a permis de passer d'un état de révolte contre Dieu et contre l'humanité à l'acceptation de la souffrance et même à la compréhension du sens de cette souffrance. Par le fait même, je trouve un sens à toute ma vie, à toutes mes blessures et souffrances présentes et passées. Je peux alors déboucher sur une dimension nouvelle de l'offrande dans la foi avec l'aide de sa grâce.

Qu'est-ce donc que l'épreuve ? Cette épreuve a produit un arrêt dans ma vie. Elle est ce pont, ce lien, ce passage, cette Lumière qui me permet d'acquérir plus de maturité spirituelle, de comprendre et de réaliser que je suis co-rédemptrice de l'humanité avec Lui, tout comme Marie qui unissait ses souffrances à celles de Jésus au pied de la Croix.

L'épreuve serait-elle alors un bienfait, un privilège, une marque d'amour ? L'épreuve a éprouvé ma fragilité et j'ai rebondi en puisant dans mes réserves de courage et d'espérance. Cette force intérieure qui a surgi en moi s'est présentée comme le dévoilement d'un potentiel insoupçonné.

L'épanouissement vient d'une poussée qui fait son oeuvre de l'intérieur. Il m'a fallu remonter à la source pour revenir à mon coeur d'où jaillissent comme d'une source les eaux vives.

Cette épreuve m'a permis de regarder en tous sens, de faire le point, de mesurer le chemin parcouru, celui qu'il me reste à parcourir et de me concentrer sur une meilleure qualité de vie. Naturellement, il y a eu la révolte, la souffrance, l'inquiétude, mais pour trouver une raison de survivre au cancer, il faut de très fortes raisons de vivre, un but et une signification particulière pour augmenter ma volonté de vivre. Je l'avoue sincèrement, il faut du courage pour vivre une vie pleine et significative, une vie qui a du sens après avoir reçu un diagnostic de cancer. Pourquoi Dieu veut-il que je souffre ?

Pour nous ouvrir le chemin de la souffrance, Dieu a choisi ce qu'Il avait de mieux: son Fils et il nous l'a donné. Et pourtant comme il devait l'aimer ! Jésus, en tant qu'homme, ne savait pas pour qui il souffrait en particulier. Par amour pour son Père, il a fait sa volonté afin d'aller le retrouver. Moi aussi, par amour, je me dois d'accepter la souffrance si je veux aller Le retrouver.

Qu'est-ce donc que la Croix ?

Tôt ou tard on se cogne contre cette poutre qui fait de notre vie une croix. Nous perdons un mari, un enfant. Nous avons un accident. Nous sommes trompés, abandonnés. Nous perdons un emploi. Nos enfants vivent en dehors du chemin conventionnel. Nous tombons malades et nous voilà désemparés, bouleversés et révoltés.

Cette croix peut prendre toutes sortes de formes ou diverses dimensions. Elle n'a d'égard pour personne. Elle n'est pas réservée qu'aux riches. Même les plus pauvres, les plus démunis sont riches de la croix. On est heureux, tout semble bien aller et soudain, comme sournoisement, voici cette terrible poutre ! Quoi de plus accessible que la révolte pour nier l'évidence ! Mais à quoi servirait-elle, une fois le venin sorti ? Elle ne fera qu'apporter l'agressivité, le stress, la dépression, le découragement, etc. En plus de l'épreuve, nous ajoutons à notre souffrance cette incompréhension, cette vengeance et cette soi-disant injustice qui rendent la vie insupportable.

Le Seigneur nous laisse libres comme dans tout autre chose. Nous avons le choix entre l'écrasement par sa croix ou le portement de sa croix. Si on choisit d'être écrasé, on la tire, on la traîne et elle semblera très lourde. Étant seuls à la porter, notre solitude nous accablera et de jour en jour, une croix nouvelle semblera s'ajouter à celle déjà installée ! Il nous faut donc essayer de faire face à l'évidence. Après notre révolte qui est normale, essayons de donner un sens à notre épreuve, à cette croix qui nous ramène à la réalité, à notre fragilité, à notre impuissance, à notre dépendance de Dieu.

La vie, la santé et le bonheur ne nous appartiennent pas. Dieu en est le guide. À sa guise, il dispose de nous en nous faisant passer par certaines croix pour notre plus grand bien. La croix n'enlève pas la souffrance, mais elle lui donne un sens. Puisque Dieu permet l'épreuve et qu'un père donne à son enfant selon ses besoins, il donne parfois à qui se remet entre ses mains l'abandon, l'acceptation. C'est alors que peut se produire la transformation par la grâce divine et que notre croix peut devenir salvatrice et avoir un sens. Nous devons voir dans la souffrance la preuve que nous sommes à la suite de Jésus. N'étant que de passage sur la terre, ces moments sont de très grandes enjambées pour le Ciel.

Qu'est-ce donc encore que la Croix ?

La Croix, c'est le signe du chrétien.

La Croix, c'est le symbole de l'Amour du Fils pour son Père.
La Croix, c'est l'Amour.

Après ces réflexions, j'ai dit à Jésus: «Je suppose que tu voudrais que je te remercie pour cette épreuve-là ! Non, non et non ! J'accepte la situation, mais je suis totalement incapable de te dire merci.» Et je suis redevenue silencieuse. À un moment donné, ces paroles sont sorties de ma bouche à une vitesse folle: «Merci de m'avoir donné le plus beau des cancers !»

Après avoir réalisé que c'était bien moi qui les avait dites, j'avais la «chair de poule» comme disent les beaucerons. Soudain, j'ai réalisé que c'était vrai. Que j'avais une sorte de cancer avec des chances de m'en sortir comparativement à ceux du foie, de la rate ou du cerveau. J'ai pris conscience que malgré mon état difficile, le cancer du sein était malgré tout un des plus faciles à traiter. À moins qu'il ne soit dépisté trop tard.

Coupures gouvernementales

Les jour passent et se ressemblent à l'hôpital. Le contact journalier n'a plus l'attrait d'autrefois. Je sens les jeunes infirmières tendues. Tout semble se faire à la course, de façon minutée. Je comprends très bien la situation et les coupures gouvernementales davantage. Le personnel est tellement débordé de travail qu'il vit dans un stress continuel qu'il transmet automatiquement aux malades. Nous les voyons tellement courir que ça devient essoufflant pour nous.

Un soir, à ma grande surprise, l'infirmière en chef arrête à ma chambre en coup de vent pour la première fois et me dit: «Que j'aimerais donc avoir le temps de venir vous donner des conseils au sujet de votre réhabilitation ! N'oubliez pas les exercices pour vos bras. Je ne peux pas vous parler plus longtemps. Il est six heures trente et je n'ai pas encore soupé.»

Avec les résultats des coupures gouvernementales, le personnel ne peut plus nous donner l'attention et la compréhension d'autrefois. Inutile de dire que j'ai essayé de me débrouiller seule du début à la fin. Cet état de chose, en plus de se vivre, ça se sent. Durant mon séjour, je n'ai sonné qu'une fois parce que mon hémo-vac coulait et qu'il me fallait l'infirmière en chef pour ce travail. Comment voulez-vous qu'un malade trouve le calme et l'abandon dans un climat de stress et de vitesse. Je ne blâme en rien l'hôpital. Les patients en subissent les conséquences durant leur hospitalisation, mais le personnel médical subit les mêmes conséquences à longueur d'année !

L'étage des cancéreux

Me voilà rendue sept jours après mon opération. Je commence à circuler dans le corridor pour refaire mes forces. On retrouve des malades des deux sexes sur le même étage. Dans cette chambre, un jeune opéré du matin pour un cancer des intestins. Comme il a l'air souffrant ! Dans la chambre voisine, un patient de 27 ans: cancer de la rate. Il sortira aujourd'hui pour entreprendre des traitements de chimiothérapie. Trois autres femmes sont affectées de la même maladie que moi. L'une n'a que 32 ans et est maman de trois jeunes enfants. Un autre est en phase terminale. Sa toute jeune femme dans la vingtaine vient d'arriver pour l'accompagner jusqu'à la fin ! Il souffre terriblement. Je l'ai entendu se lamenter toute la nuit.

Je réalise que nous sommes un groupe de cancéreux et qu'on nous a installés les uns à côté des autres ! Quelle découverte qui étouffe, qui angoisse ! C'est ma première hospitalisation ! À quand la prochaine ? Y aura-t-il une suite, une phase terminale ? J'ai hâte de sortir de cet étage, de m'en aller chez nous avec des gens bien portants pour oublier toutes ces personnes qui souffrent, qui luttent et qui meurent. Je sens chez les visiteurs le même regard inquisiteur, l'inacceptation. Tous ont l'air de dire: «Pourquoi ? »

J'ai hâte de ne plus avoir de drains, de sac, de ne plus avoir d'intrus dans mon corps. Enfin, vendredi soir on les retire. Je vois les trous qui laissent une plaie qui saigne. On les cache avec des gazes. Le dépouillement commence. Il ne me reste plus que les points de suture à enlever. C'est pour quand ? Demain j'espère !

Journée de sortie

Samedi, dixième journée. Je dois sortir aujourd'hui. Je suis comme une enfant à qui l'on a promis une sortie convoitée depuis longtemps.

Depuis deux semaines et demie que je suis ici et mes cheveux n'ont pas été lavés. Je décide d'aller en bas au salon de coiffure. Nous étions deux inconnues de l'étage qui nous dirigions dans la même direction. L'infirmière nous conseilla, étant donné que nous faisions notre première grande promenade, de nous suivre afin de nous protéger mutuellement. Chemin faisant, elle me dit tout bonnement, en se plaignant, qu'elle avait subi une opération pour se faire rapetisser les deux seins. Elle se plaignait sans cesse. J'ai tout simplement arrêté de marcher tellement, dans les circonstances, je trouvais son opération ridicule et inutile. Je n'ai pu faire autrement que de lui dire: «Comme j'aimerais être à votre place ! Je n'aurais pas à me plaindre puisqu'au départ c'est moi qui l'aurais voulu ainsi. Pour ma part, on vient tout simplement de m'enlever un sein au complet à cause du cancer ! » La conversation et les plaintes ont coupé radicalement. Quel contraste d'accord et de désaccord, de volonté et de soumission, de crainte et d'espoir, de vie ou de mort !

Au salon, par le miroir, je vois la physionomie du docteur Deschênes qui me regarde en ayant l'air de se dire:

«Tant mieux, la fierté est encore là ! C'est bon signe.» Renseigné au poste de garde de ma descente au salon de coiffure, il a eu la délicatesse de se rendre au salon pour me signifier lui-même mon départ. Depuis l'opération qu'il me dit que les résultats de l'analyse des ganglions ne sont pas encore arrivés et qu'ils le seront avant mon départ. Je le sens mal à l'aise de me les donner. Il piétine sur la question bien que nous soyons un peu à l'écart des autres. Il a préféré, je l'ai nettement senti, ne pas me les donner aujourd'hui. Il semblait se dire: «À quoi bon diminuer la joie de son départ ? » De toute façon, il ne pouvait commencer aucun traitement avant un mois de convalescence. Il me donne rendez-vous pour le jeudi saint, 20 avril, et me souhaite bonne chance.

Plaie ouverte devant mon mari

J'oublie la possibilité de contamination de mes ganglions et en toute hâte je monte à ma chambre. Le dîner accuse un léger retard, ce qui me permet de commencer ma valise. Je ne suis rendue qu'au mets principal et voilà que l'assistant-chirurgien arrive pour enlever les points de suture. Je n'ai pas trouvé le processus douloureux. Ma peur était que mon mari arrive sur les entrefaites, car je m'étais proposée qu'il se passe quelque temps avant qu'il voit la réalité. Que j'avais hâte qu'il finisse ! Je venais de lui demander de me faire un bon pansement au cas où les trous des drains laisseraient répandre du sang. Au fond de moi, je voulais empêcher mon mari d'avoir immédiatement la réalité sous les yeux.

Mes craintes étaient justifiées ! Le voilà qui arrive face à ma plaie horrible. Je me sens enfoncer dans le matelas. Comme je me vois laide à ses yeux ! Je réalise que j'aurai des difficultés d'adaptation. Mon mari n'a laissé voir aucune réaction. Joue-t-il aussi bien le jeu ? Dans son for intérieur, est-ce que tout tremble et fait mal ? Est-il vraiment prêt à affronter la réalité ? Voilà ! La triste découverte est faite. Tout est enfin terminé. Le médecin refait le pansement et nous laisse seuls.

Il ne me reste plus qu'à m'habiller. Deux heures de trajet, c'est beaucoup trop long pour subir un soutien-gorge qui m'incommodera tout autour de ma plaie. Il me faut donc commercer à laisser la fierté de côté et choisir le confort. Mais quel débalancement ! Comme c'est disgracieux ! Mais ni mon mari ni moi ne nous apitoyons sur notre sort.

Premières difficultés d'adaptation

En sortant de l'hôpital, je ne peux faire autrement que de penser: «Finis le cauchemar et l'attente ! Vite que je respire à pleins poumons. À moi la vie et l'espérance puisque je suis maintenant parmi les vivants.»

En passant à l'appartement de Pierre, nous arrêtons le saluer. Il demeure avec deux autres étudiants. Je suis gênée d'enlever mon manteau car l'opération serait trop évidente. Ils ne savent rien et Pierre pourrait être mal à l'aise. Avant de partir, je désire aller à la toilette. Une fois rendue, mon bras refuse d'enlever la manche de mon manteau. J'ai beau essayer, impossible ! Je constate combien il me faudra avoir recours aux autres pour quelque temps. Comme il leur faudra être patients ! Cette fois-ci, Pierre m'aide à me sortir du pétrin.

Que la route est longue ! Je suis très fatiguée même si mon mari a installé mon bras sur un oreiller. Les contrecoups de l'automobile se font sentir et mon bras en souffre beaucoup. De loin, j'entrevois les premières maisons. Le coeur me débat de plus en plus fort. J'ai la sensation que je serai montrée du doigt, que je me sentirai à part des autres. Est-ce que l'on me fuira et me prendra en pitié ? Sera-t-on tout simplement content de constater que je m'en suis sortie pour le moment ? Je prends enfin conscience que je suis arrivée !

TROISIÈME PARTIE

Le retour à la maison

Entente avec mon mari

Tout heureuse, je retrouve mon chez-nous et mes affaires personnelles. Une vie nouvelle commence avec les miens. Je ne veux pas être une charge continuelle pour mon mari. Nous prenons entente à ce sujet. Ainsi, il me laissera faire tout ce que je me sens capable de faire. Lorsqu'il réalisera mes impossibilités, il viendra à mon aide. Je tiens à garder le plus d'autonomie possible. Moi, je suis malade, mais lui se porte bien. Il a le droit de continuer à vivre comme un être bien portant. Je ne veux en rien changer ses habitudes.

À l'heure du coucher, j'ai la hantise de mettre seule ma jaquette. Je ne l'ai pas encore fait seule. J'en suis incapable et je ne veux pas appeler mon mari de peur qu'il ne voit mon pansement et soit rappelé à la réalité. Il faut que je me débrouille seule. Il faut commencer par le côté malade comme me l'a dit l'infirmière. Je force, je grimace et je souffre ! Oui ! ça y est ! Je prends un calmant contre la douleur et je me couche satisfaite de retrouver mon lit bien à moi !

Ma première journée seule

Nous avons près de notre chalet une érablière. C'est en plein le temps des sucres. Chaque année, avec un immense plaisir, j'allais aider mon mari. Ma belle-soeur m'offre son aide à la maison, mais je lui conseille d'aller plutôt aider mon mari à l'érablière afin qu'il soit moins seul avec ses pensées et ses inquiétudes à mon sujet.

Une fois les deux partis, j'essaie de faire mon lit. Mon bras manque. Comme je suis gauche de mon bras gauche ! Il n'a jamais réussi à faire quoi que ce soit. Il lui faudra s'habituer. Arrive l'heure du dîner et j'ai peine à ouvrir la porte du réfrigérateur. Impossible de piler les pommes de terre. Je les mangerai donc rondes. La balayeuse, inutile d'y penser pour quelques mois. Strictement interdit pour moi de l'utiliser à cause de mon bras. J'ai des tapis partout sauf dans la cuisine. Quoi faire ? Je trouve un moyen de fortune. Une petite balayeuse manuelle que j'avais remisée fera l'affaire. C'est ainsi que commence le train-train de la vie en essayant de minimiser les obstacles et de les accepter avec sérénité. J'avais deux bras et je me servais des deux. Je n'en ai plus qu'un et je me servirai de celui-là. Je commence gaiement à tenir maison. Je n'ambitionne pas sur mes capacités. Je me repose au cours de l'avant-midi et de l'après-midi.

Le soir venu, j'ai demandé à mon mari comment lui et Pierre avaient accepté la situation durant mon séjour à l'hôpital. Il a répondu: «Voyant que tu étais sereine et souriante, et surtout que tu avais l'air de bien accepter la situation, il aurait été lâche de notre part de nous mettre à pleurer et de nous révolter.» L'abandon serait donc communicatif ! Je peux dire que dans les circonstances, ils ont été tous les deux formidables. Sans jamais me faire sentir que j'étais atteinte de cancer, ils m'ont procuré toute l'attention que j'étais en droit de recevoir de leur part.

Contact avec mes amies

Dès le lendemain, les visites de parents et d'amis ont commencé. La vie était belle puisque je retrouvais ceux que j'aimais. Les malaises constatés et sentis chez mes visiteurs de l'hôpital se répétaient. Je devinais que d'aucunes de mes amies faisaient mille et un efforts pour essayer de m'encourager et ne savaient pas comment aborder le sujet du cancer. La chose m'apparaissait normale et je me suis promise d'en parler ouvertement comme d'une chose normale. Lorsque l'on évitait le sujet, je l'abordais. Ce qui, je crois, mettait mes visiteurs à l'aise. J'étais gaillarde, joviale, intéressée et je partageais tout simplement ce que j'avais vécu sans amplifier ou minimiser les conséquences désastreuses. Avec humour, je me surprenais à raconter telle bévue ou tel épisode. La conversation était gaie et joyeuse.

Dans une petite paroisse, tous les gens se connaissent. La sympathie afflue de toute part durant des semaines et des mois. Je ne peux décrire jusqu'à quel point j'ai apprécié ces rencontres. Ça me donnait la preuve qu'on m'aimait pour moi-même et telle que j'étais. Munie ou démunie. Souffrante ou bien portante. Le fait d'en parler avec toutes ces personnes me libérait de ma maladie à chaque fois. Je me sentais moins seule dans l'expérience de cette souffrance.

La peur du cancer du sein

Chez presque toutes les femmes, je pouvais déceler une peur atroce du cancer du sein. Malheureusement, les informations et les préventions relatives au cancer du sein sont prises un peu à la légère. On en entend parler, on sait qu'il y a danger, mais on fait l'autruche. Ce n'est pas pour nous ! Un trop faible pourcentage de femmes se font suivre annuellement par un médecin pour dépistage. Certaines de mes amies paniquaient et voulaient à tout prix aller se faire examiner se demandant où se diriger. L'endroit idéal d'après moi demeure une clinique du sein. Évidemment, si toutes les femmes fréquentaient ces cliniques, il n'y aurait plus de place pour celles qui seraient vraiment atteintes de cette maladie. Donc à vous d'essayer d'avoir un rendez-vous. Les médecins de cliniques spécialisées examinent des seins à longueur de journée. Ces derniers deviennent si habitués et compétents qu'au premier contact de leurs doigts, ils peuvent déceler s'il s'agit de dysplasie mammaire, de kyste ou de tumeur. Il y a aussi les gynécologues et les médecins de médecine générale ainsi que les C.L.S.C.

Il y a un conseil que je peux donner, tout simple, pas coûteux et non gênant: c'est de faire son auto-examen des seins. Pour ma part, les deux fois que j'ai eu des tumeurs, je les ai découvertes moi-même et j'avais dit au médecin: «J'ai une bosse là.» Il y a de ces constatations qui ne trompent pas. C'est comme une certitude désarmante que le verdict d'un spécialiste doit confirmer. Je déplore le fait de dire que je ne suis pas la seule à ne pas avoir eu un bon diagnostic à temps par mon médecin de famille. Plusieurs cas identiques ont été décelés. Ces délais à identifier le cancer du sein apportent un retard dans les soins que la femme doit recevoir. Les conséquences sont désastreuses: contamination des ganglions et voire même du corps en général dans les pires cas et toujours une crainte additionnelle qu'il soit trop tard pour intervenir avec succès.

Rendez-vous et exercices

Une semaine après mon arrivée à la maison, je dois aller à la clinique médicale pour faire changer mon pansement. Je ne peux voir suffisamment ma poitrine et mon mari préfère ne pas jouer au médecin. J'arrive au bureau sans rendez-vous. J'espère que ce n'est pas mon médecin de famille qui est de garde. Je ne me sens pas encore prête à l'affronter. Cependant, je n'avais pas pensé qu'à part les médecins qui avaient traité ma maladie à l'hôpital, ce serait le premier homme qui me verrait organisée de la sorte. Même s'il est médecin et qu'il ne me connaît que très peu, ça demeure quand même un homme et moi une femme. Lui avec sa curiosité et moi, forcément, avec ma féminité et ma timidité. Vous devinez bien que dans nos petites paroisses les patientes de cette maladie se font plutôt rares. Je me sens vraiment mal à l'aise d'avoir à lui offrir la vision de ma physionomie. J'ai envie de fuir tellement j'ai l'impression que je fais pitié. Mais non ! J'entre et je passe une autre étape difficile.

La convalescence va bon train. Seul mon bras semble tirer de l'arrière. Le soir, il est tellement fatigué de faire des efforts que ça presse d'aller m'étendre pour faire mes exercices et lui donner une position de repos. J'ai l'impression qu'il ne pourra plus vraiment fonctionner comme avant. Chaque soir je vérifie si mon bras peut se lever jusqu'à une ligne de plus sur une échelle graduée que j'ai mise sur le mur près de mon lit. Avec beaucoup d'exercices et de ténacité, on m'avait dit qu'à la longue ça rentrerait dans l'ordre. Mais jusqu'où peut aller la ténacité ? Combien faut-il d'exercices par jour ? J'essaie de me servir de mon jugement. Lorsque le bras a reçu ce dont il a besoin, je le sens moins douloureux et je me sens mieux dans ma peau. Le mal diminue et le calme se rétablit.

Il me faut dire qu'après cette opération, toute sensibilité au toucher est disparue, au niveau du sein et de sa plaie, au-dessous du bras et du haut du bras jusqu'au coude. Le contact de mes doigts est à peine perceptible. De même plus tard, lorsque j'aurai la permission de me raser l'aisselle, je ne sentirai absolument rien. J'aurai beau passer plusieurs fois à la même place, voire même me couper, si je ne regarde pas, je ne m'apercevrai de rien puisque je ne me sens plus dans ces régions du corps. Aujourd'hui, après trois ans, c'est encore loin d'être normal.

L'important, c'est que vous en ayez deux !

Jamais, auparavant, je ne m'étais arrêtée à regarder l'apparence d'une femme en rapport avec ses seins. Maintenant, si je regarde la télévision, instinctivement, mon regard se dirige vers les seins ! Réaction sans doute normale, puisque moi, je n'ai plus qu'un sein à exhiber. Comme j'aurais voulu leur crier, aux femmes, ce qui au fond de moi bouillonnait de pensées, de regrets peut-être !

«Je vous en supplie, mesdames. Que vous ayez de gros seins pendants, de petits seins par en dedans ou de beaux seins réellement attrayants, l'important, c'est que vous en ayez deux ! Avec vos maris, profitez pleinement de vos instants d'intimité. Je ne parle pas ici uniquement de relations, mais plutôt de jouir du plaisir qu'a votre mari à apprécier votre beauté comme elle est. Si votre mari vous dit que vous êtes belle ainsi, c'est parce qu'il vous aime. Même si vous n'êtes pas un «modèle» selon l'expression coutumière des hommes, s'il vous dit que vous êtes jolie, croyez-le. Faites-vous plaisir mutuellement alors que vous êtes encore une femme à part entière. Ce sont des plaisirs permis et fort agréables dans une vie de couple. Il faut profiter du temps qui passe. Après, il peut être trop tard ! Allons messieurs, dites à vos épouses qu'elles sont belles ! Et vous mesdames, soyez honorées de ces compliments et croyez-les !»

Vivre positivement

Mais pendant ma convalescence, je m'applique à ne pas laisser trop de place aux aspects négatifs de ma situation. J'essaie de vivre positivement. Vivre un jour à la fois consiste à vivre pleinement l'instant présent. Vivre positivement, c'est accepter de vivre l'instant présent comme il se présente, sans toujours vouloir changer les personnes et les choses. Sans vouloir changer leur image, leur intérêt du moment, ce qui rendrait l'instant présent négatif, difficile à vivre. Si on le voit tel qu'il se présente avec ce qu'il apporte et procure, on vit d'espérance et non de négativisme. Le négativisme et l'égoïsme sont les deux exterminateurs de la joie de vivre. Il faut savoir dire oui et être capable du don de soi si l'on veut vraiment goûter en plénitude chaque instant de la vie. Bien qu'en général j'avais toujours eu un bon moral, j'avais tendance à être négative. Lorsqu'arrivait une situation difficile, j'analysais tout et je trouvais plus de négatif que de positif.

Dans ma situation présente, il me faut composer avec ce que j'ai et ce que je suis devenue. Premièrement, accepter le fait d'avoir le cancer sans ajouter inutilement des «si» ou des «au cas où». Au départ, la maladie rend l'instant présent négatif. Il était superflu de le surcharger de résultats néfastes par mon imagination. Au lieu d'augmenter les conséquences négatives qui peuvent en résulter, vaut mieux essayer de les minimiser à mes yeux et chercher une attitude positive au lieu de transformer la situation par une dramatique bouleversante. L'art d'oublier le passé et d'ignorer l'avenir est un des éléments essentiels au positivisme. J'ai eu le cancer et on a enlevé la tumeur. Je suis sujette aux rechutes, mais mon idée sera positive face à une rémission. Pourquoi perdre un temps précieux aujourd'hui pour ternir ce que demain pourrait peut-être m'apporter ?

J'essaie d'apprendre l'art de bénéficier de ce que peuvent m'apporter chaque personne et chaque chose. Je réalise que chacune d'elles peut m'apporter quelque chose de bon. Il en est de même pour toutes les expériences de la vie. Je découvre qu'elles renferment de quoi enrichir la mienne. Être positive et optimiste face au cancer, c'est tout un défi ! J'oserais dire le «défi de ma vie». Avec une confiance complète en Dieu, ce Dieu est ma vie, il m'est possible de relever ce défi. Seule, je n'y parviendrais jamais et je subirais échec sur échec.

Avoir un bon moral, c'est quoi ?

J'ai un bon moral comme on dit. Pour moi avoir un bon moral, c'est d'être capable de voir à chaque matin la lumière et le soleil qui me sont offerts. De rester joyeuse malgré les intempéries de chaque saison. C'est l'art de diriger mes pensées sur des choses positives, de m'accrocher à tout ce qui est beau et bon. L'art de ne pas m'apitoyer sur mon sort sous prétexte que ça fait mal, de savoir encaisser une mauvaise nouvelle sans dramatiser. C'est de minimiser mes craintes face à l'avenir, de me réjouir de la joie du voisin, de sourire malgré une bévue, de rire pour me départir de la réalité trop lourde, d'essayer de faire de l'humour. En résumé, accepter chaque minute telle qu'elle se présente avec ce qu'elle apporte ou ce qu'elle enlève à ma vie.

Je dis toujours que le moral ne s'achète pas et ne se vend pas. C'est comme le bonheur. Ça se cultive et s'entretient. Ça peut transparaître ou se communiquer en partie, mais à chacun de faire le sien.

Demain ce sera le premier vendredi du mois. La religieuse du couvent m'offre de m'apporter la communion. Elle me demande si le curé viendra me rendre visite comme aux autres malades chroniques et âgés. Recevoir sa visite me surprendrait bien gros et pourtant, s'il savait comme je la souhaite ! Comme je la désire ! À mon idée, je crois que jamais je n'aurai à vivre une situation plus difficile; jamais je ne me sentirai aussi démunie et aussi vulnérable. Depuis le début, je n'ai parlé à aucun prêtre de ma maladie, de mes peurs, de mes craintes face à la mort. Comme j'aurais besoin inconsciemment d'entendre parler de la vie mais surtout de la mort ! Je n'ai rien abordé de ces sujets avec l'aumônier et notre curé ne me visite pas !

La mort, même si on la fuit, on sait qu'elle est inévitable. Où irai-je après la mort ? La Vie Éternelle arrive-t-elle immédiatement après le jugement et une purification ou est-ce un arrêt de tout jusqu'à la Résurrection des morts à la fin du monde ? C'était de l'entre-deux que j'avais peur. Encore aujourd'hui, je ne suis pas prête à mourir parce que j'ai trop à apprendre avant d'aller rejoindre Celui que j'ai appris à aimer et qui pourtant me fait peur et me fait craindre.

Les personnes qui ont le cancer ne veulent pas parler de la mort, ne veulent pas l'apprivoiser, ne veulent pas l'accepter au début. Nous sentons le besoin d'être en contact avec des prêtres qui normalement sont mieux informés que quiconque pour parler de la mort, de la toute fin, de la vie après la mort. Oui, nous sentons le besoin qu'ils nous en parlent, qu'ils nous renseignent sans pour autant de notre part admettre la possibilité d'une mort prochaine. C'est un sujet dont, en général, nous refusons de parler avec la famille et les amis. À qui d'autre pourrions-nous nous adresser, sinon aux représentants de l'Église et de Dieu ? C'est pourquoi j'aurais aimé qu'un théologien m'explique à la lumière de l'Évangile la vie possible après la mort. Comme je m'y attendais, je n'ai pas eu la visite de notre curé. Son travail le tient très occupé et de plus grands malades l'attendent sans doute.

À mon grand contentement, les visites continuaient. Elles m'aidaient à extérioriser au fur et à mesure les étapes que je vivais. Les personnes qui ne sont pas venues me manquent. Je profite largement de ces visites, car je sais que lorsque l'émotion et la surprise seront passées, je me retrouverai seule avec l'obligation de vivre avec l'inquiétude d'une rechute possible. Devant la nouvelle, tous semblent affectés pour le moment. Mais la mémoire est si courte que bien vite ils oublieront ou presque ma lutte et mon combat. Il leur semblera normal qu'il en soit ainsi. Finalement, dans la vie on s'habitue un peu à toutes les situations qui passent.

Moi qui suis en rémission, je n'ai pas le choix. Je ne cesse de me dire combien ils sont chanceux de ne pas avoir à lutter, à craindre, à accepter cette situation. Je réalise pourtant que même s'ils sont épargnés présentement, leur sécurité est ébranlée. Je sens chez eux la crainte, la peur et la hantise de la maladie. Je devine qu'au fond d'eux-mêmes, ils ne veulent pas de cette possibilité d'être atteints de cancer et qu'ils ont presque la certitude qu'ils ne le seront pas. Tout au moins, ils n'en veulent pas pour rien au monde.

Joie, paix, espérance

Le secret de la joie, c'était pour moi de découvrir toutes sortes d'étincelles à travers mille feux dévorants d'inquiétudes. Ma joie venait d'un débordement intérieur de paix et de calme jusqu'alors inconnu. Elle venait de la découverte du don qu'est la vie. Du plus intime de mon coeur, je sentais comme un apaisement qui balayait tout sur son passage. Les circonstances vécues dans l'abandon m'ont menée à la joie de vivre et m'ont fait découvrir le sens du message de saint François d'Assise: «Ta misère, je m'en occupe, dit le Seigneur. Les autres, tes frères, ils attendent ta joie.» Comme cet abandon à Dieu m'a fait découvrir la joie de vivre, la richesse de la vie. Avec la vie, j'ai reçu la joie qui vient de la foi, de l'espérance et de l'amour.

Face au comportement attristé de tous ceux que j'aimais, je sentais le besoin de leur communiquer ce nouveau sentiment de joie intérieure qui m'habitait malgré mes souffrances et ma maladie. Je voulais que nos joies se confondent une dans l'autre. J'aurais voulu dire et redire aux gens qui m'entouraient cette pensée qui dit vrai: «Sème la joie dans le coeur de ton voisin, elle fleurira dans le tien.» En communiquant cette paix, cette joie aux autres, j'entretenais la mienne. Je me libérais des événements difficiles à vivre et je faisais de la place pour une nouvelle réserve. La joie de vivre donnait un sens à mon lever du matin. Je contemplais le soleil levant. Je le sentais à l'intérieur de moi. Je m'émerveillais devant un rien, car chaque chose de la nature nous apporte un message spécial de l'Auteur de toute merveille. On n'a qu'à puiser à la source pour trouver cette jouissance qui élargit la vie. La joie ne peut subsister dans celui qui est toujours mécontent de tout. Comme il est riche celui qui se contente de ce qu'il possède et qui sait se réjouir de ce que les autres ont !

Je découvrais la paix, un sentiment à la fois doux et fort que je sentais mais que je ne pouvais définir tellement il était discret et faisait partie d'un tout. La paix surgit dans mon coeur lorsque je sais me contenter dans l'acceptation des gens et des choses, en retirer du bien sans brimer personne, être heureuse de ce que j'ai et de ce que je suis. En un mot, me sentir bien dans ma peau et non dans celle des autres. La paix, c'est de sentir cette chaleur au coeur, de goûter à ce bien-être, de le savourer tellement il est bon et de me dire qu'une telle saveur ne peut venir que de Dieu.

Depuis mon opération, l'espérance est devenue ma compagne de voyage sur mon chemin de vie. Je l'ai prise par la main et, avec elle, je trouve toujours le goût de poursuivre ma route. L'espérance est ce fil conducteur qui mène de la naissance à la mort et de la mort à la Vie. Elle est cette source d'élan, de volonté acharnée à surmonter les obstacles, à diminuer la peur, à affronter des risques afin de monter toujours plus haut. Tant qu'il y a de l'espoir, il y a de la vie. Et ce, à plus forte raison pour une personne atteinte de cancer. L'espoir est un des facteurs importants de survie. L'espérance de guérir est essentielle à la guérison. Le manque d'espoir, le sentiment d'incapacité sont des précurseurs de rechutes. Face à la multiplicité de mes sentiments, l'espérance est obligatoire et primordiale pour ma guérison. Il est également indispensable que mes proches partagent ce sentiment. Voltaire disait: «L'espérance de guérir est déjà la moitié de la guérison.» Donc, plus j'avance dans mes réflexions, plus je réalise que mes sentiments sont un des facteurs qui contribuent à la guérison de ma maladie.

L'art de savoir vivre permet à tout être humain de bien fonctionner dans la vie. Je réalise que je ne savais pas vivre à mon avantage. Inconsciemment, mon comportement entrait continuellement en guerre avec ma santé, ma manière de voir et de comprendre. J'étais en guerre continue avec la vie que je n'avais tout simplement pas comprise. Comment pouvais-je être conditionnée à la mort à l'annonce d'un diagnostic de cancer alors que la vie n'est pas encore pleinement expérimentée et assumée ?

En attendant, je poursuis mon expérience des choses de la vie. J'essaie de les mettre bien gauchement à profit et je continue à savourer cette joie de vivre en pensant à Joseph Folliet qui disait: «Ma joie appartient à Dieu. Nul ne me l'enlèvera. Si tu veux ravir ma joie, viens la prendre dans les mains de Dieu.»

Pourquoi tant de miroirs ?

Même si j'accepte très bien la maladie dans l'abandon, le Seigneur a permis et décidé de ne pas s'occuper de mon orgueil et de ma fierté. Il me laisse me débattre seule avec mon apparence physique. J'ai toujours été assez fière de ma personne, mais voilà que je me demande pourquoi tant de miroirs dans les chambres à coucher et dans les chambres de bain ! Comme j'aurais voulu les casser ! Je me cachais pour m'habiller et me déshabiller. Je fermais toujours la porte de la chambre de bain afin que mon mari ne me voit pas. S'il arrivait à l'improviste, je sursautais et instinctivement, avec mon bras, je cachais ma laideur. Je me trouvais tellement diminuée ! Je voulais lui épargner cette horreur. Mais lorsque l'inévitable se produisait, réalisant mon malaise, c'est avec une douceur quasi impossible qu'il essayait de me faire comprendre que j'étais la même qu'avant à ses yeux. Que ce n'était pas la perte d'un sein qui réussirait à détruire notre amour et notre harmonie. «Avant, tu en avais deux, maintenant, tu en as un. Point. Ce n'est pas plus compliqué que cela ! »

Je réalisais qu'il cherchait les occasions pour arriver inopinément dans la chambre à coucher ou dans la chambre de bain afin de m'aider à vaincre cette gêne qui m'envahissait en sa présence. Il m'a aidé à accepter la réalité, mais comme j'ai eu de la difficulté ! Souffrir de me voir de la sorte, c'était mon lot. L'obliger, lui, à partager ma laideur, ça me paraissait injuste. Je me disais: «Comme ça doit être difficile pour lui de s'adapter à cette vision ! » À maintes reprises, il me disait: «Pauvre petite maman, comme ils t'ont brisée ! » Ça me réconfortait. Mais au lieu de me jeter dans ses bras en m'apitoyant sur mon sort et en lui disant: «Oui, c'est vrai ! », je m'empressais de changer de sujet de conversation pensant qu'il en était mieux ainsi. Aujourd'hui, je constate qu'il avait raison. Une souffrance partagée est à moitié soulagée. Si au moins je lui avais dit: «Oui, je sais que je suis diminuée physiquement, que je suis laide, mais vu que tu m'acceptes si gentiment comme telle, c'est fini mon malaise. À partir d'aujourd'hui j'essayerai de m'accepter telle que je suis.» Mais non ! Et j'ai continué à ne pas m'aider.

Comme mon mari a été compréhensif, prévenant, à l'écoute, et d'une acceptation exemplaire ! Toujours en lui, j'ai pu trouver un équilibre dans la situation présente. C'est son positivisme qui a créé le mien. En un mot, il achevait dans sa chair ce qui me manquait à l'acceptation de ma maladie. Dieu ne m'avait pas enlevé ma fierté humaine. Je Le pensais loin de mes futilités d'orgueil, mais il était là dans le coeur de mon mari. Si l'on ne trouve pas Dieu dans son coeur, cherchons-Le dans le coeur du voisin et sa Lumière nous fera resplendir.

Lorsque quelqu'un demandait des nouvelles à mon fils, il était tout heureux, paraît-il, de leur dire qu'il était fier de sa mère et qu'elle allait bien dans les circonstances. Je sentais qu'il préférait ne pas parler de ma maladie, qu'il exemptait même le sujet, et lorsqu'il en parlait, le positivisme était à la base de ses sentiments. Je peux dire qu'une épreuve partagée rapproche encore davantage des êtres qui s'aiment. Naturellement, si j'avais pleuré continuellement, si j'étais demeurée révoltée et dans un mutisme total, leurs réactions auraient été sans aucun doute très différentes.

Des peurs à vaincre

Arrive Pâques. Comme le Christ, je voudrais bénéficier d'une résurrection. J'ai le goût d'aller à la messe. Je demande à Pierre s'il veut bien m'accompagner et c'est avec plaisir qu'il acquiesce à ma demande. En montant l'escalier du perron de l'église, une gêne subite m'envahit. Je dis à mon fils: «Je ne me sens pas capable de faire face à tout ce monde que je connais. J'ai l'impression que je vais attirer leur pitié.» Il me semblait les entendre dire: «Pauvre Marcelle ! Comme c'est triste de la voir lutter et se débattre contre le cancer. Elle qui était si pleine de vie ! »

Pierre me répond: «Je t'en supplie, maman. Pas de craintes inutiles. Je suis tout heureux et fier de toi. Ça ne fait pas un mois que tu as été opérée et tu as le courage de venir à la messe. C'est Pâques. Tu ne ressusciteras pas dans la gloire comme Jésus, mais c'est ton corps qui ressuscite dans sa propre chair.» Malgré son encouragement et son attention à m'ouvrir les portes, le coeur me débattait très fort. J'avais chaud et je me sentais étourdie. Psychologiquement, je souffrais d'inadaptation. Je me sentais marquée, un peu comme isolée des autres ! Je me voyais désormais inutile à la société. Je me suis assise au plus vite pour récupérer. J'ai assisté à la messe sans porter d'intérêt à mon «Prions en Église». C'était une messe d'action de grâces et de remerciements silencieux que je voulais vivre. Au moment du partage, monsieur le curé est venu à mon banc partager la paix du Christ et me souhaiter bonne chance.

J'ai averti Pierre que je voulais quitter avant la fin du chant de sortie afin de ne rencontrer personne et surtout que personne ne me parle. Quelle drôle de réaction ! Ces gens que j'aimais tant ! J'étais contente d'avoir écouté Pierre et d'être entrée quand même dans l'église; autrement je serais restée avec la hantise du public.

Il me restait encore des peurs à vaincre, mais avec le temps, ça viendrait. Quand des cancéreux vous disent qu'ils ont de la difficulté à vivre après l'opération, il faut les croire. À ce moment-là, tous les facteurs physiques, psychologiques, moraux et mêmes mentaux entrent en ligne de compte et sont débalancés. La difficulté de s'en sortir dépend de chaque cas, mais pour tous, c'est une souffrance à laquelle il est difficile de se soustraire. Là encore, seules celles qui en ont vécu l'expérience peuvent me comprendre sans croire qu'il s'agisse de sentiments exagérés ou de nervosité.

Chimiothérapie

Premier examen de contrôle à la clinique du sein. J'arrive avant le temps. Je me dépêche de monter à la chapelle et là, devant le tabernacle, au lieu de la révolte, c'est une action de grâce que je Lui rends. Dans quelques minutes, je prendrai connaissance du vrai diagnostic et du traitement approprié au prolongement de mes jours. Il ne faut pas me leurrer ni me faire des illusions: je suis sujette à la récidive. Je ne suis pas guérie à jamais. On n'a fait qu'enlever la partie malade de mon corps. On me donnera sans doute les traitements appropriés à ma tumeur. «Seigneur, s'il est possible que je sois exemptée du gros traitement de chimiothérapie de deux ans, mais si c'est indispensable pour ma survie, je suis prête à faire la volonté de la médecine et la tienne.» Et toute confiante, je me dirige vers la clinique. Le docteur Deschênes me reçoit avec sa gentillesse et sa compréhension habituelles.

Aucune apparence de bosse dans mon autre sein. La plaie semble bien se cicatriser et tout va bien pour le moment. Il m'annonce que j'ai trois ganglions cancéreux et que le grand danger de récidive est de quatre et plus. Je suis donc à la limite. Il ajoute: «J'aurais préféré que vous n'en ayez aucun, mais que voulez-vous ? S'il en avait été ainsi, vous n'auriez eu aucun traitement ou médicament à prendre. Par conséquent, vu que vous avez des ganglions d'attaqués, vous devrez prendre de la chimiothérapie en comprimés deux fois par jour, et ce, pour le reste de vos jours. Votre cas est un cancer hormono-dépendant, c'est-à-dire une tumeur cancéreuse dont la croissance est stimulée par une hormone qui sera traitée par ces comprimés anti-hormones qui détruiront au fur et à mesure les cellules cancéreuses ou susceptibles de l'être. Dorénavant, vous devrez être sous surveillance de la clinique périodiquement pour qu'on vérifie votre état de santé général et surtout votre sang car les médicaments pourraient tout aussi bien détruire les bonnes que les mauvaises cellules.»

Je lui demande si je peux faire quelque chose pour m'aider. Le médecin de me répondre: «Prenez soin de votre santé. C'est votre meilleure arme pour combattre. Vous reviendrez me voir dans un mois.»

Tout heureuse, je ne pose aucune autre question. Je sors, je cours, je vole vers la sortie tellement j'ai hâte de partager la bonne nouvelle avec mon mari. Tous deux, nous sommes comme des enfants. Malgré les circonstances, nous sommes heureux. Subitement, je réalise que c'est tout de même de la chimiothérapie que je tiens dans mes mains. Un médicament contre le cancer, sujet à des effets secondaires. Qu'importe ! Quand on craint le pire et qu'on se retrouve avec le moindre, ça soulage.

Quelques jours plus tard, le téléphone sonne. C'est une cousine qui, il y a un an, a été opérée pour la même chose que moi. En connaissance de cause, nous parlons vraiment du même sujet. Elle a une tumeur du même nom que la mienne et a trois ganglions cancéreux. Elle me dit que le médecin lui avait prescrit les mêmes médicaments que moi et qu'au bout de deux mois, la grosse chimiothérapie, communément appelée le protocole, avait commencé pour deux ans. Elle explique comment c'était dur de recevoir le liquide intraveineux. Elle me raconte qu'elle le sentait aller d'un bout à l'autre dans ses veines. Elle avait des nausées, des faiblesses et d'autres effets secondaires.

En raccrochant la ligne, immédiatement je me dirige vers mon lit pour la nuit. Pour la première fois je suis triste et inquiète. Je me demande pourquoi je serais exemptée de ces traitements vu que nous avions la même sorte de tumeur et le même nombre de ganglions cancéreux. Le médecin m'a donné des médicaments pour un mois seulement. Moi aussi ça fera deux mois ! Est-ce la grosse chimiothérapie qui m'attend ?

Je suis très fatiguée et j'ai peine à dormir. Je fais des cauchemars. On me donne, dans mes cauchemars, de la grosse chimiothérapie et je ne suis pas capable de la recevoir. J'ai des réactions terribles. Je deviens inconsciente et je frôle la mort de près. Heureusement, je m'éveille. Le coeur veut me sortir de la poitrine ! Je suis tout affolée et j'ai peine à me sortir de ce cauchemar.

Le lendemain, cette terrible nuit me hante. S'il fallait qu'il en soit ainsi ! Subitement, la sonnerie du téléphone m'arrache à ma rêverie. C'est mon médecin de famille qui vient de recevoir de l'hôpital la confirmation de la maladie. Il s'excuse et espère avec raison que les conséquences du retard ne soient pas trop désastreuses. Je le sens vraiment mal à l'aise et dépourvu. Il s'informe du traitement prescrit et il ajoute: «Oui, ce sera bien ça ! Un mois de médicaments en comprimés et par la suite ce sera la grosse chimiothérapie.» Une fois la conversation terminée, la peur des gros traitements reprend de plus belle. Ne pourrai-je donc pas m'en dispenser ? La maladie, je l'accepte, mais les traitements, j'en ai peur ! J'essaie de retrouver mon calme en espérant qu'il n'en sera pas ainsi et je m'efforce de ne plus y penser.

Plus tard, j'ai appris qu'il ne faut jamais comparer un cancer à un autre et encore moins deux traitements. Chaque cas est unique comme chaque personne l'est. Entretemps, docilement, je prends mon hormonothérapie. Il me faut la prendre en mangeant car elle pourrait endommager mon estomac. Au bout de quelques jours, j'ai chaud et j'ai d'énormes bouffées de chaleur à tout instant. Ce sont tout simplement des effets secondaires.

Insécurité dans les magasins

Fin mai, je jette un regard sur ma garde-robe et je sens le besoin de l'enjoliver. Un vendredi soir, je demande à mon mari de me conduire aux magasins. Impossible de fermer seule la porte de la voiture. Une fois assise, la ceinture de sécurité est inaccesible à mon bras et mon mari se voit forcé de venir à ma rescousse. Je n'ai que le goût de rebrousser chemin. Je devine un enchaînement de difficultés semblables qui m'attendent. La grosse pluie commence et les essuie-glace m'étourdissent. Comme St-Georges de Beauce me paraît loin ! Arrivée au centre d'achat, les oreilles me bourdonnent. La foule m'écrase et la musique me dérange même si le volume du son est raisonnable. Je me sens perdue dans cet endroit où j'étais si familière. J'essaie de regarder des robes, mais mon bras refuse de déplacer les cintres pour regarder les robes les unes après les autres. J'ai des bouffées de chaleur insupportables. Impossible de m'intéresser à quoi que ce soit. J'ai l'impression de ne pas appartenir à cette foule, à ce va-et-vient du magasinage. Je décide de retourner chez nous au plus vite. À la sortie, je vois tout près de moi trois personnes que je connais. Je ne veux pas les rencontrer et je fuis ces femmes si fières de leur personne et de leur toilette. Je me replie sur moi-même et, contournant des comptoirs pour les éviter, je m'enligne à mon grand soulagement vers la sortie.

J'avais surestimé mes forces. Je suis revenue à la maison sans aucun achat, fatiguée, épuisée et surtout frustrée du refus d'obéir de mon bras.De plus j'avais subi un échec de comportement vis-à-vis les autres. Moi qui d'ordinaire étais si ouverte et allais droit mon chemin, allais-je développer un sentiment de gêne face à ma maladie ? Tout ça mis ensemble m'avait située en face de la réalité et de mes capacités limitées. J'en étais vraiment attristée ! C'était donc une de mes difficultés marquantes, à cause sans doute de mon orgueil.

Une vraie prothèse

Adieu la robe de chambre ! J'essayais de mettre en évidence la fameuse prothèse en kodel qu'on m'avait si gentiment donnée à l'hôpital. Pas facile de remplacer un sein ! La prothèse était de la grosseur de mon autre sein, mais n'avait pas la même pesanteur. Par le fait même, elle ne tenait pas en place et remontait dans le gousset de mon soutien-gorge. J'étais toujours débalancée ! J'ai donc décidé d'aller à Québec m'acheter une vraie prothèse. Psychologiquement, cette journée fut très dure.

Je suis à la recherche d'un sein qui se jumellerait le plus possible avec le mien. Je n'aime pas prendre cela dans mes mains. Ce n'est ni chaud ni froid et ça me répugne. La vendeuse sait que je vis un moment difficile et se montre très compréhensive. Enfin le sort en est jeté. Je choisis la plus ressemblante. Pour ne pas m'apitoyer sur mon sort, j'en conclus que nous sommes assez chanceuses que des fabricants aient pensé à nous !

Je regarde les maillots de bain. Il y en a des spéciaux pour nous et le prix l'est tout autant ! Je prends conscience pour la première fois que, pour moi, c'est inutile de penser porter à nouveau des décolletés, des gilets qui mettent trop en évidence. Que de découvertes jour après jour ! Il faudra m'y habituer. C'est le lot des femmes mastectomisées.

Quelques jours plus tard, j'étais invitée au souper de fin d'année du M.F.C. C'était ma première grande sortie et si je voulais vaincre mon malaise face au public, je me devais d'être bien ajustée. Comble de malheur, je n'ai pas encore en ma possession la fameuse prothèse. J'envoie le taxi communautaire chercher le colis attendu. Même si nous sommes en mai, il fait un froid glacial d'hiver. Le soir venu, je reçois l'objet d'importance, cet artifice d'apparence, cette chair non vivante, cette compensation à mon handicap, cette récompense commerciale allouée au prix de $235.00 !

Cette nouvelle possession qui sera dorénavant mienne et qui deviendra une partie de mon tout. Pourrai-je avec elle me sentir bien dans ma peau ? Si je peux m'exprimer ainsi ! J'avais la possibilité de camoufler mon handicap pour mon contentement et pour celui des autres. J'en profitais. C'était un luxe obligatoire, un bijou d'apparence indispensable. Faut bien en rire et faire contre mauvaise apparence bon ajustement.

J'ouvre la boîte d'espoir. J'essaie de regarder cet atout, de l'aimer comme étant mien, mais j'ai un frisson à l'idée que toujours cette partie restera artificielle et ajustable alors que l'autre est mienne et fixe. Je risque un premier contact du bout de mes doigts. Je frémis et je prends le tout dans ma main. Il est froid, d'une froideur de mort ! J'en ai peur et je le lance sur mon fauteuil. Toute tremblante d'émotion, je me dis que jamais je ne m'habituerai à pareil réfrigérateur. Je n'ose pas aller trouver mon mari avec mes problèmes, car lui accepte si bien ma difformité qu'il trouve plus ou moins nécessaire et obligatoire le fait de m'habituer à combler le naturel par de l'artificiel.

Le lendemain, arrive le souper d'amitié. L'orgueil justifié d'être bien mise dirige mes mains vers ce sosie. Je l'ajuste à mon soutien-gorge et me voilà, à ma grande surprise, à m'examiner, toute fière de mon apparence. Je me dis qu'à partir de maintenant: «Seul mon mari le sait.»

J'ai ma place comme les autres

Je retrouve environ 70 personnes que je suis heureuse de revoir. Le sentiment me semble partagé par toutes. La sensation de me sentir à part des autres se dissimule dans le coeur d'une personne qui aura sa place comme les autres. Puisque c'est la fête des mères, on me nomme la mère de l'année. Je m'en sens indigne, mais je comprends vite qu'il s'agit là d'un prétexte pour enchaîner dans une vraie fête de remerciement pour le travail accompli en tant que responsable du mouvement ainsi que de compréhension pour les derniers événements vécus de ma part. On m'offre des fleurs, on lit une adresse à mon intention et on me remet un cadeau-souvenir. Voilà que montent le suspense, la surprise et la joie. Remplie d'émotions, j'ai peine à retenir des larmes de joie et je me retrouve dans les bras de la co-responsable qui est en même temps l'amie qui avait partagé avec moi ma maladie depuis le début.

Je remercie tout le monde et je leur donne de mes nouvelles. Sans m'en rendre compte, je témoigne pour la première fois de la maladie, de l'abandon, de la souffrance, de la croix, de la vie, de ma découverte sur la façon de vivre un jour à la fois. Pour résumer, je leur parle de ma nouvelle vie et de tout ce qui en dérive. Je sens un mélange d'émotions chez les personnes dans la salle, les larmes coulent ici et là, mais moi, je me sens parfaitement calme. Je raconte les faits vécus sans amertume et avec une grande facilité d'expression. Enfin, aurai-je trouvé ma place parmi les miens ou continuerai-je à me sentir à part ? Quoi qu'il en soit, à la gloire de Dieu ! Je proclamais ses desseins auxquels je m'étais habituée. Dans la salle la chaleur nous écrasait, mais heureusement j'ai pu rester jusqu'à la fin de la fête.

De retour à la maison, je m'empresse d'enlever ma prothèse. Moi qui en étais si fière ! Je ne présumais pas que j'allais me quereller avec elle une autre fois en l'enlevant. Elle était si brûlante que j'en ai eu aussi peur que de sa froideur de la veille. Je la lance au fond d'un tiroir de mon bureau avec la certitude que je lui tiendrai rancune longtemps. En touchant à mon sein opéré, il m'apparaît tout enflé. Aurait-il subi une allergie ou une jalousie de son sosie ? Dois-je mettre une compresse d'eau chaude ou froide ? Aussi bien m'abstenir des deux. Je ne panique en rien et je me couche sans inquiétude.

À mon réveil, j'appelle le médecin qui m'explique que ces prothèses gardent la température du corps. La froideur glaciale de la veille provenait de la température de la valise du taxi. La chaleur insupportable de ma prothèse était bien due à la chaleur excessive de mon corps. Il ajoute que ces prothèses ne peuvent causer aucune allergie puisqu'elles sont anti-allergiques. L'enflure, c'était de l'œdème qui devait disparaître au cours de la journée. Des peurs d'ignorance, j'en ai eues. Voilà pourquoi je les partage afin de les exempter à toutes celles qui passeront par la même opération.

Le temps des fleurs

Les réactions à mes médicaments me causent toujours de nombreuses bouffées de chaleur. J'ai très peu ou pas de nausées, mais je me dis que ce sont des effets secondaires normaux puisqu'on m'en avait averti. Début juin, le temps des fleurs arrive. D'ordinaire, je m'occupe seule de la transplantation. Que dois-je faire ? Je suis faible. Aucune permission de me mettre les mains dans la terre. Défendu de rester au soleil. Interdit de me faire piquer par une bestiole sur mon bras. Impossible de me servir de celui-ci. Que me reste-t-il comme alternative ? Me reposer et ne rien faire cette année !

J'imaginais le devant de ma maison dénudé de fleurs durant tout l'été. Ce serait pour moi et pour mes voisines comme si la mort était passée ! Je demande donc à Pierre qui est de passage à la maison de bien vouloir travailler ma terre de rocaille. Ce qu'il me fait, pour la première fois, avec plaisir, courage et joie. Je me mets à la tâche. Quand il n'y a pas de soleil, je transplante mes petits plants; je prends le soin d'arrêter entre chacun d'eux pour me reposer. J'en dispose seulement la moitié de l'an passé. J'élimine les paniers suspendus et mon urne. Nous aurons quand même de la couleur devant la maison. Une fois ce travail terminé, je suis fière de moi et toute surprise de pouvoir encore contribuer à la vie.

Notre vie sexuelle

La sexualité dans le mariage est une relation d'amour vécue entre deux personnes de sexe différent. Cet acte d'amour se veut l'apothéose de leur vie commune. Chacun y découvre au fil des ans de bonheur, mille et une façons de se satisfaire mutuellement. Acte légitime et suprême béni par le sacrement du mariage.

Les seins de la femme ont été de tout temps son atout et son attirance par rapport à l'homme. Avoir deux seins, c'est comme avoir la vie, la santé. Si on perd cette vie, cette santé, c'est alors qu'on en découvre toute la richesse, l'importance et même la jouissance dans le sens pur du terme. Il en est de même pour les seins. C'est après une mastectomie qu'on en découvre la valeur réelle. Ils faisaient partie d'un assortiment offert à notre couple et que nous avions fait nôtre.

Qu'arrive-t-il lorsque la femme perd un sein ? Que se produit-il dans sa vie intime de couple ? La meilleure solution est d'accepter cette situation comme nôtre, de continuer à vivre une vie sexuelle comme auparavant sans s'attarder sur ce qu'on peut y découvrir de moins en cours de route. L'homme doit se dire que ce n'est pas avec un sein en moins qu'il aimera moins sa femme. La femme a bien assez de se sentir démunie, défaite, sans que son mari la tienne, en plus, responsable de ce contretemps. La femme se doit de s'accepter telle qu'elle est et d'essayer de trouver une compensation à cette carence. La vie peut continuer dans le couple avec satisfaction en autant qu'aucune des deux parties impliquées n'élève des barrières. Comparativement à d'autres qui ont rejeté leur femme et qui ont cherché compensation ailleurs, mon mari a été d'une compréhension extraordinaire et a essayé de me faire comprendre que notre vie sexuelle pouvait continuer comme avant.

Mais, sans m'en rendre compte, j'avais établi une barrière psychologique entre mon sein et ma sexualité à venir.

Mon mari acceptait sa disparition, pas moi. Il est très difficile de nous convaincre nous-même que c'est nous qui mettons des barrières là où le chemin pouvait être libre. Cette situation arrive, paraît-il, chez une forte proportion de femmes opérées du sein et il est assez difficile, en général, de se sortir de cette impasse. J'ai compris alors toutes les souffrances des femmes qui établissent consciemment ou non des barrières suite à une opération de ce genre, non seulement au sujet des relations sexuelles, mais à propos de tout et de rien malgré leur bonne volonté.

Je connais une fille-mère qui, après son opération, fut abandonnée par son ami qui avait peur d'attraper le cancer ! Une autre dont le mari n'a plus voulu avoir de relations avec elle après l'opération. Une autre opérée depuis deux ans dont le mari n'est toujours pas capable de regarder ses cicatrices. Toutes ces souffrances, suite à une mastectomie, se vivent malheureusement et difficilement.

Si je suis parvenue à briser cette barrière psychologique, je le dois à mon mari. «La vie sexuelle du couple permet de juger de la stabilité de l'union. Dans une union fondée sur la maturité, les rapports sexuels sont une expression d'amour, d'affection et de respect. Ils n'en sont pas l'unique condition.[1]»

Une mauvaise expérience

Le 8 juin, deuxième rendez-vous à la clinique. Les deux médecins que je connais ne sont pas là. Je prends le premier qu'on me désigne et je subis les moments les plus pénibles de ma maladie. En toute confiance, je suis pour la pre-

1. Société Canadienne du Cancer, **Le temps qu'il faut**, p. 29

mière fois déterminée à me renseigner sur ma maladie. Il fait une chaleur écrasante et humide. L'eau me coule sur le visage. Le hasard a voulu que je me trouve face à une femme-médecin, enceinte, qui devait sans aucun doute avoir aussi chaud que moi. L'atmosphère de l'entretien a été des plus lourds à vivre. Je ne me sens ni acceptée ni comprise. Les réponses à mes questions étaient négatives avant que je ne les termine. À maintes reprises, j'ai envie de partir, mais mon examen physique n'est pas fait. Jamais de ma vie, je n'avais subi une aversion semblable. Elle a cependant très bien fait mon examen physique. Je suis sortie du bureau satisfaite de la pratique mais bien déçue de la théorie.

Je tiens à dire que je n'ai vécu cette mauvaise expérience qu'une seule fois. Il s'agissait sans doute d'un accident de parcours. J'aurais volontiers laissé cette mauvaise expérience à d'autres... Depuis cette unique contrariété, mes examens se sont déroulés normalement à la clinique. Toujours j'y trouve et j'y reçois toute l'attention, la compréhension, la chaleur humaine et les alliées susceptibles de me diriger vers une rémission totale. L'accueil et les soins sont toujours de première qualité.

Une réunion de mastectomisées

Durant l'après-midi, j'ai rendez-vous avec une garde-malade sur l'étage. Elle réunit des mastectomisées nouvelles et anciennes. Nous formons un groupe de dix-sept. Je fais partie des dernières opérées. L'une du groupe en est à sa septième année. Elle a le bras tout bandé de pansements suite à son opération. Une autre, après trois ans de mastectomie, vient de se faire enlever l'autre sein. Une jeune de trente ans en allaitant son bébé a découvert une bosse qui grossissait à vue d'oeil. Une autre est en radiothérapie, elle étouffe en sanglots devant sa difficulté d'accepter.

Chacune confie ses craintes, ses inquiétudes, ses peurs, sa manière de vivre aux anciennes qui rassurent les nouvelles. C'est pour moi une expérience enrichissante. Je découvre que dans ça comme dans toute autre chose, la juste mesure est à recommander. J'essaierai donc d'être prudente sans pour autant demeurer inactive. Une d'elles raconte qu'elle a tellement eu peur de faire ses exercices qu'elle n'en a pas fait du tout. Comme résultat elle se doit d'aller en physiothérapie pour retrouver le bon fonctionnement de son bras. Une autre conte qu'elle a reçu une piqûre de moustique. Chose non recommandée vu nos défenses immunitaires réduites dans le bras. Elle n'a pas dormi de la nuit, regardant constamment son bras au cas où il se produirait de l'infection. Et finalement, toutes ont ou ont eu la hantise des premières relations ou des suivantes. L'une dit que cela ne va plus. Par contre, une autre dit que ça va mieux qu'auparavant.

Je suis contente de cet échange, mais que de souffrances psychologiques reliées à cette maladie ! À ma grande satisfaction, je réalise que je suis chanceuse d'avoir accepté assez bien mon état. Contrairement à l'angoisse et aux traumatismes sentis chez mes compagnes, je me sens calme, posée et détendue. Chaque femme réagit différemment et je constate que je suis peut-être celle qui en ressort la moins marquée du groupe.

Une invitation à propos

Et la vie continue. À la mi-juin, sans savoir pourquoi, je sens le besoin d'aller dans un groupe de prière de la paroisse voisine. Au moment des témoignages, je témoigne à nouveau de l'abandon dans l'épreuve. Après la réunion, une personne dans la salle dit: «J'ai une réservation pour une retraite d'intériorité qui se tiendra à tel endroit. Si quelqu'un est intéressé à aller passer six jours dans le silence complet, il n'a qu'à me le faire savoir.» Je vais la trouver et lui dis: «Mais c'est pour moi cette place-là ! »

Le groupe comprend des religieux, des religieuses, des prêtres, un évêque et seulement quatre laïques. Dès notre arrivée, le dimanche soir, on se conforme au mot d'ordre qui consiste à garder le silence complet jusqu'au samedi midi.

Parmi les retraitants se trouve une religieuse dans la soixantaine qui a un visage tout simplement dégoûtant et repoussant ! Sur sa joue, elle a une pièce de peau ou de chirurgie plastique d'un pouce et demi de diamètre, d'une blancheur contrastante avec la peau de son visage. Elle a le nez arqué vers le haut, la lèvre supérieure également qui laisse entrevoir continuellement ses dents. Ça fait mal à regarder, mais sans savoir pourquoi, je suis portée à la regarder continuellement, contrairement à mon amie qui ne pouvait tourner son regard vers elle.

Le samedi midi, une fois le silence terminé, les présentations se succèdent et je me présente à cette soeur rejetée. Dans la conversation qui suit, je lui dis: «Comme vous avez dû avoir un gros accident ! » Elle de me répondre: «Il s'agit d'un cancer de la peau et non pas d'un accident. Ça fait cinq fois que je me fais opérer au cours des neuf derniers mois. Et vous ne voyez pas ma poitrine ! »

Soudain, la lumière s'allume et je fais le lien qui avait pu me rapprocher de cette femme. Merci ma soeur d'avoir eu cette ouverture d'esprit avec moi. J'ai un tout petit cancer de rien au sein et j'éprouve une difficulté énorme à me regarder, à m'accepter telle que je suis. Maintenant, je pourrai crier à tous que je n'ai rien ou presque puisqu'il n'en paraît rien.

Arrivée à la maison, je peux enfin me regarder sans me cacher en pensant à cette petite religieuse qui subit et exhibe sa physionomie. Je comprends maintenant le pourquoi de l'invitation à cette retraite. J'y vois la main du Seigneur qui parachevait son oeuvre. Sans réservation, sans capacité, je me retrouve là, m'abstenant de suivre les autres, mais le coeur rempli d'espoir dans un silence désiré. Il me met en face d'une réalité flagrante pour me faire accepter plus facilement mon handicap. Comme Il s'y prend de façon subtile pour arriver à ses fins !

Troisième visite à la clinique du sein

Le 8 août, troisième visite à la clinique du sein. Je me sens beaucoup plus à l'aise dans la salle d'attente. Aussi bien m'en faire une alliée puisqu'elle sera témoin de mes visites régulières, et ce, pour le reste de mes jours. Devant prendre la chimiothérapie sous forme de comprimés, je dois me rendre à cette clinique régulièrement puisqu'il faut une surveillance continue au cas où mon organisme réagirait mal à ce traitement.

Le docteur Chiquette, de ma toute première visite, me reçoit avec sa gentillesse coutumière. Je sens un contact humain valorisant. Avec moi, elle fait un bilan de la situation. Elle m'explique beaucoup de choses sans que je les lui demande. Au moment du diagnostic et de l'opération avec tout ce qui en découle, la femme en a suffisamment à absorber et à comprendre sans questionner davantage. Par après, elle est mieux disposée à se renseigner, une fois la négation et la révolte passées. Elle m'annonce que le moment critique de rechute se situe surtout entre un an et demi et deux ans après l'opération. Je comprends clairement qu'il me faudra m'armer d'une santé à toute épreuve pour vaincre ce danger. Elle reconfirme les traitements à vie. Fera-t-il aussi chaud dans ma peau pour le reste de mes jours ou mon système s'habituera-t-il à mon hormonothérapie ? Tout va très bien pour le moment.

Je suis contente et je me rends à la chapelle, une visite qui s'installe définitivement à l'horaire de tous mes rendez-vous de contrôle.

Un projet de l'Université Laval

À ma sortie de la clinique m'attendait une infirmière travaillant sur un projet de l'Université Laval. Je devais répondre à un questionnaire d'une durée de trois heures environ. Nous sommes sept cents femmes opérées à avoir participé à ce projet. Il faut répondre à des questions en rapport avec notre nutrition à l'once près, nos habitudes de sport, nos habitudes de vie, notre façon d'accepter, de voir la situation en face.

Après une heure de questionnaire, l'infirmière me demande si j'ai la foi, si je l'ai plus ou moins qu'avant la maladie, si je m'étais révoltée. Je trouve qu'elle va un peu loin dans ma vie privée. Je lui demande si vraiment je me dois de répondre. Elle me dit que cela compléterait mon dossier et que ça pourrait éventuellement servir à d'autres afin de voir si nous avions quelque chose en commun. Je consens donc à lui conter en abrégé ma révolte à la chapelle, l'abandon, l'indifférence ou presque au développement de la maladie.

Plus je parle, plus je vois ses yeux noirs devenir perçants, transformés, inquisiteurs. Je crois à un moment donné qu'elle va pleurer. Lorsque j'ai terminé, elle me dit: «Mais savez-vous que le Seigneur a fait des choses extraordinaires pour vous ? Sachez-le, humainement parlant, ça ne s'accepte pas ce cancer de mutilation de la femme. Me donnez-vous la permission de m'approprier tout d'abord de votre acceptation, pour ensuite la transposer aux autres. Si vous saviez comme je me heurte à de l'inacceptation, de la révolte, de la peur, de la crainte, de la dépression ! La majorité des femmes ne peuvent en parler sans pleurer, et croyez-moi, vous êtes privilégiée. Puisque nous en sommes aux confidences, laissez-moi le plaisir de vous dire que le fait d'accepter aussi bien votre maladie, d'avoir un bon moral, de bâtir des projets, de vous accrocher solidement à Dieu, met de votre côté de 50 à 60% de chance de guérison certaine.»

En terminant, elle m'embrasse à plusieurs reprises. Elle a les yeux dans l'eau et je sens chez elle une surprise réelle et un contentement qui l'envahit. Je ne sais pas si elle avait la foi en Dieu, mais ce que je sais, c'est qu'elle avait contribué à augmenter la mienne. Ça me faisait rendre à l'évidence que vraiment j'avais eu de l'aide de mon «Chum» d'en haut !

QUATRIÈME PARTIE

Retour à une vie active

Ma soeur me rend visite avec les beaux jours de l'été et m'apporte un livre sur le cancer du sein dont l'auteur est une femme. Je le lis, mais je ne l'aime pas. Je trouve qu'elle a pleuré du début à la fin. Elle ne fait que voir le mauvais côté des choses. Je me dis: «Il faudrait que quelqu'un en écrive un qui enlève la peur du cancer, qui fasse découvrir la manière de vivre avec et qui suscite une augmentation de qualité de vie.» Et pour la première fois je me dis: «Pourquoi pas moi ? »

Un boulet à mon corps

Vers la fin du mois de juin, j'assiste à la messe d'Action de grâce de fin d'année du Cercle des fermières. Elles sont environ 75 présentes à l'avant de l'église. Je fais partie du nombre, mais soudain, je réalise et prends conscience que je suis la seule à porter présentement ce fardeau, à lutter entre la vie et la survie. Je ne peux à ce moment oublier que je porte ce boulet à mon corps et à nouveau ma difficulté d'être avec les autres réapparaît. J'ai hâte que la messe finisse car j'ai d'énormes chaleurs. Je me sens seule et de trop. Dire qu'il y a à peine deux ans, c'était moi qui étais la présidente de ce mouvement, très active et en pleine forme.

Les fermières semblent tout emballées de vivre. Elles ont un but, un idéal. En apparence, rien n'a l'air de les préoccuper. Je me dépêche de partir durant le chant de sortie afin de ne parler à personne. Seule, je m'en retourne avec ma peine à la maison alors que toutes les fermières prennent la direction du Centre. Ça ressemble pour moi à un symbole de vie et de mort ! Arrivée chez moi, mon mari a senti mon état d'âme. Après un partage, il essaie encore de me réconforter, mais il n'en reste pas moins qu'il nous faut tous les deux accepter la réalité. Une bonne nuit de sommeil et rien n'y paraîtra plus. J'aurai tout simplement donné du relief à ma pièce de mosaïque d'aujourd'hui. Ce qui me permettra sans doute de goûter avec plus d'intensité la journée de demain qui, elle, saura m'apporter autre chose.

On m'avait prévenue

Dans la découverte de cette nouvelle vie, le fait de ne vivre qu'un jour à la fois me rend toujours curieuse de découvrir ce que le jour présent peut m'offrir de différent. L'été arrive avec ses petites fraises des champs. Sachant que j'adore en cueillir, mon mari m'amène tout près de son lieu de travail. On dirait des fraises du jardin ! Comme une enfant, je m'exalte devant pareille merveille. Comme je suis heureuse de pouvoir encore une fois jouir de cette cueillette ! Si l'an prochain je ne peux en cueillir, je pourrai me dire que cette année j'en aurai au moins profité !

Le lendemain, c'est plus fort que moi. Il me faut aller explorer les alentours malgré ma fatigue et mon incapacité. Je refuse de m'arrêter. Je me traîne à quatre pattes afin de ménager mes jambes. Le soleil me brûle et je sais que cela fait partie des interdictions. Même s'il fait très chaud, je continue quand même oubliant mes incapacités. Je me traîne et je ramasse des fraises. J'oublie ma situation ou plutôt je la minimise à mes yeux. Les séquelles de ma maladie se réveillent comme si elles ne voulaient pas que je me procure ce plaisir.

Heureusement que les miens arrivent pour m'arrêter. J'ai le visage écarlate. Les bouffées de chaleur ne s'arrêtent pas. Ça pressait que j'arrête. Rendue à la maison, je suis tellement fatiguée que j'ai peine à respirer. Je parviens à prendre un bon bain et je me couche comme pour mon dernier sommeil, inerte. Les jours suivants, je me contente de vaquer à de petites occupations. Et suite à cet excès, s'installe une fatigue intermittente pour plusieurs mois. On m'avait prévenue ! En aucune circonstance je ne devais aller au bout de ma fatigue. J'avais dépassé la limite permise et je payais l'amende du feu rouge que je n'avais pas respecté.

Les chaleurs d'août m'affectent énormément. Même en demeurant continuellement à l'abri du soleil, je n'ai plus aucune résistance, aucune réserve. Une fatigue extrême m'habite. Je veux persister à rester debout, mais, que je le veuille ou pas, il faut que je me couche très souvent durant le jour. Je me demande ce qui se passerait si je n'allais pas m'allonger tellement je n'en peux plus. Je sens la fatigue de la tête aux pieds. Une fatigue inconnue des personnes en général. Tous les bruits me semblent énormes. Mes jambes ont si mal qu'elles ne peuvent rester en place. J'ai le coeur qui a de la misère à battre à un rythme coutumier. Je ne me sens vraiment pas bien dans ma peau.

Il n'y a pas d'autres remèdes que me coucher et de me détendre le plus possible. C'est un envahissement total que je ne peux expliquer. Un mal, sans doute, propre à la maladie, c'est-à-dire aux effets secondaires des médicaments. Je suis peut-être plus affectée par ceux-ci que par la maladie elle-même. Lorsque tout diminue et que je me relève, je me sens à nouveau encouragée et je pense en souriant à la prochaine fatigue qui, souvent, n'est pas si lointaine. Je me souviens que le chirurgien m'avait dit que si je voulais m'aider, je me devais de garder une santé excellente. Est-ce normal de toujours se sentir au bout de ses forces ? On m'avait dit également qu'il ne fallait jamais que je sois fatiguée. J'aurais pu penser à une possibilité de rechute, mais je voyais ça comme une évolution de la maladie. Une période vraiment difficile à accepter. Forcément, je ralentis mes activités extérieures. On remarque mon absence, on s'informe de ma santé et on s'inquiète. Je pense que pour ne pas alarmer ceux que j'aime, il me faudra leur dire que ça va bien malgré tout.

Même si je ne vais pas bien, le temps passe à vive allure. L'automne arrive avant d'être invité. Un soir, alors que je suis couchée, une douleur au sein gauche me fait instinctivement passer à l'auto-examen. J'ai une bosse. Je la palpe à nouveau et j'en conclus qu'il y a vraiment une masse mais différente de celle de l'an dernier. Je crois qu'il s'agit de dysplasie mammaire, mais sait-on jamais ? J'aurai mon examen de contrôle dans un mois. À ce moment-là, ils verront bien si c'est sérieux ou pas. Je m'endors sans m'inquiéter pour autant. Au bout d'une semaine, j'examine à nouveau mon sein et la constatation demeure la même. Je ne m'alarme pas plus que la première fois.

La date du rendez-vous arrive. Comme d'habitude, je me dirige en hématologie pour la formule sanguine, le décompte des globules blancs et rouges ainsi que l'hémoglobine. Les résultats arrivent rapidement à la clinique. Tout est parfait. C'est même excellent.

Le docteur fait l'examen et soudain en touchant à la partie sensible, je réalise que je l'avais oubliée. Elle palpe, examine et réexamine. Elle aussi croit à de la dysplasie, mais pour plus de sûreté, elle tient absolument à me faire une cyto-ponction. Elle enfonce l'aiguille et va fureter dans ma chair pour y trouver du liquide dans la bosse pour analyse. Contrairement à l'an passé, un liquide plus abondant monte dans la seringue. On m'avertira par téléphone si danger il y a. En tous cas, sa réaction n'est pas du tout celle de l'an dernier. Je lui parle de mes extrêmes fatigues et elle ne croit pas à une rechute pour le moment. Par mesure de prudence, elle prescrit plusieurs prises de sang. Je retourne chez-moi sans angoisse et sans crainte. J'espère cependant ne recevoir aucun appel téléphonique de la clinique. Je ne peux pourtant faire autrement que de penser aux minutes d'attente de l'année dernière. Trois mois plus tard, à mon autre examen de contrôle, elle confirme que tout était négatif. Logiquement, j'avais eu raison de ne pas m'inquiéter.

Le goût d'écrire me fascine

Un soir, je me retrouve à une réunion du M.F.C. Après l'assemblée, une amie me donne des extraits des poèmes d'Yvan Ducharme traitant de son cancer du poumon. Rendue à la maison, je les lis sans y trouver grand intérêt car les poèmes ne m'intéressent pas tellement. Et le goût d'écrire me fascine plus que jamais ! Elle est la quatrième personne à diriger mes pensées vers ce but. Je me mets à la tâche. Je classe tous les événements vécus à date avec les sujets à développer. Cependant, je ne me sens pas prête à dactylographier. Je crois qu'il vaut mieux attendre à plus tard au moment où je me sentirai vraiment apte.

Voyage à La Tuque

Les fêtes approchent à grands pas et je n'ai pas le goût de préparer du spécial pour le réveillon. Ma soeur et mon beau-frère de La Tuque nous invitent à aller passer Noël avec eux. Je risque le tout pour le tout. La peine ne peut pas l'emporter sur le plaisir. Si fatigue il y a, des lits il y aura. Nous arrivons vers les huit heures trente et, après quelques mots échangés, je m'esquive en douce pour aller récupérer afin d'être fraîche et dispose pour le réveillon. Vers minuit, je me lève et je réalise que tous ont le coeur à la fête. Il n'y a que moi qui n'est pas dans l'ambiance. Mon beau-frère m'offre une consommation que je refuse tout d'abord puisque l'on m'a avertie que mes médicaments et la boisson ne font pas bon ménage. Puis, je me ravise et décide que c'est Noël pour moi comme pour les autres. Je prends une petite mais toute petite consommation d'alcool et la conversation s'engage. Comme je me sens heureuse et chanceuse de participer encore une fois à une fête de famille.

Soudain, je ne sais pas ce qui se produit, mais je vois double. Je trouve subitement qu'il y a beaucoup de personnes. Je les vois en triple. Je suis vraiment dérangée et je voudrais qu'il se tassent au loin afin de voir moins de gens. Je n'ose pas en parler pour n'inquiéter personne. Je profite de l'occasion qu'un neveu est seul et je vais m'asseoir près de lui pour ne voir que trois personnes en une au lieu de quarante-cinq en quinze ! J'éprouve une drôle de sensation inconnue jusqu'à ce jour. Aussitôt que ma soeur annonce le réveillon, je ne me fais pas prier pour aller manger afin de faire disparaître les effets au plus vite. Inutile d'essayer d'oublier mon état, il y a toujours quelque chose qui me dérange. Mais j'en ris et suis heureuse de profiter de ces moments en famille.

Le lendemain de Noël, nous prenons le chemin du retour pour la Beauce. À chaque année, une grande sensibilité m'envahissait lorsque j'entendais des cantiques ou des chants des fêtes. Même que les larmes se faisaient sentir. Chemin faisant, à la radio, des chants me font revivre mes Noël d'antan. Mon chant préféré, le Minuit chrétien m'a toujours impressionnée. Je sens monter en moi des sentiments profonds de joie. Je profite vraiment du moment présent qui m'est alloué pour réaliser que j'aurais pu ne pas être avec les miens à Noël. Un sursis m'est accordé cette année, mais l'an prochain, qui sait ?

Le chant continue toujours et pour la première fois je pleure de joie et d'émotion. Je remercie Celui qui me donne gratuitement ces moments de bonheur avec les miens. Je ne veux pour aucune considération qu'on s'aperçoive de mon élan de bonheur intérieur. Ils auraient sans doute été affectés croyant qu'il s'agissait de peine alors que c'était la joie qui débordait.

Il fait un froid glacial à l'extérieur. Ce froid contraste d'avec la chaleur de mon coeur. Arrivés chez-nous, le froid continue puisque l'on réalise que la fournaise n'a pas chauffé depuis notre départ. Il fait 52 degrés dans la maison. Nous prenons la situation en riant et devons garder nos manteaux durant une couple d'heures à cause de ce contretemps. Ces petits riens nous font apprécier notre maison et la coutume agréable d'y habiter.

Des invitations

Une dizaine de personnes de la paroisse me demandent si je ne pourrais pas les recevoir une fois la semaine afin de leur faire partager ce que je recevais de mes rencontres d'intériorité chrétienne silencieuse depuis deux ans. Devant cette demande je me sens dépourvue tant du côté spirituel que physique, mais je me dis que si Dieu le veut, ce groupe de prière, Il saura me donner ce qu'il faut pour y arriver.

Nous écoutons des enseignements du Père Girard sur cassette, après quoi il y a partage et nous terminons dans un silence recueilli et collectif. À ma grande surprise, ma maison devenait une maison de prière. Je disposais de l'ancien local de la banque pour les recevoir sans déranger mon mari. Il ne venait pas avec nous mais approuvait ces réunions.

Février m'apporte une excellente santé et je me sens une tout autre personne. Je peux me permettre de longues promenades à l'extérieur et mes jambes ont enfin retrouvé leurs forces. Mes poumons s'en donnent à coeur joie à respirer le bon air pur. Tout un regain de vie physique pour moi ! J'espère tout envers et contre tous. Je me surprends à dire à mon mari que je suis heureuse comme jamais. Phrase qui a dû le surprendre. C'est ça vivre un jour à la fois, savourer l'instant du moment présent sans se soucier du lendemain.

L'institutrice des élèves de sixième année désire que j'aille, dans le cadre du programme scolaire, parler de la prière et de la foi. Elle a entendu parler de mon témoignage et désire que je le donne à ses élèves. Invitation pour le moins inattendue ! Je lui demande si vraiment elle veut que je parle de cancer à des jeunes de cet âge. Elle me répond par l'affirmative en ajoutant qu'ils étaient capables d'en prendre. J'accepte donc en lui laissant savoir qu'elle devra en subir les conséquences.

Le jour arrive. Je trouve les élèves vraiment trop jeunes à mon idée pour écouter et comprendre le message que je veux essayer de passer. L'institutrice me dit tout bonnement: «Quand ils commenceront à bouger, ça voudra dire qu'ils en auront assez.» Je commence donc et à ma grande surprise, je les sens suspendus à mes lèvres. Nous aurions pu entendre les respirations tellement le silence régnait. Leurs regards donnent l'impression d'une complète compréhension de l'acceptation de cette maladie avec le support de la foi. Je les vois comme en émerveillement devant ce que je leur raconte et ça me dépasse ! J'attends toujours le moment où ils commenceront à bouger, mais il ne vient pas. Au bout d'une demi-heure, j'arrête et je leur demande de poser des questions.

Un jeune me demande: «Comment se fait-il que vous parliez ouvertement de tout cela avec des étrangers alors qu'une de mes tantes opérée depuis deux ans n'accepte pas encore de le faire ? Elle est renfermée sur elle-même et personne ne peut lui en parler sans qu'elle ne se mette à pleurer. Comment pouvez-vous expliquer cela ?» C'est sans doute le résultat d'une maladie non partagée. Ça demeure une angoisse continuelle, un refoulement, une sensation de culpabilité, de réclusion. Vivant continuellement dans l'inquiétude de la maladie, elle se sent poignée, étouffée par son état. Sa vie devient insupportable et elle rend celle des autres difficile malgré elle.

Je deviens de jour en jour plus forte physiquement. Je décide qu'il est temps de commencer à écrire mon livre le 20 mars 1985, anniversaire de mon opération.

Le temps des sucres

C'est le temps des sucres. Mon mari et moi concluons que pour cette année je ne suis pas assez forte pour m'occuper de la tâche avec lui. Je devrai donc me contenter de regarder mon mari et sa soeur vaquer à l'occupation saisonnière. Rien ni personne ne peut me retenir à la maison en ce jour d'anniversaire. Il y a de ces moments que l'on voudrait oublier à jamais mais devant la réalité flagrante, il est difficile d'y arriver.

Je monte donc à la cabane à sucre avec eux et chemin faisant, je ne peux que comparer le chemin qui m'y conduit à celui des corridors de l'hôpital l'an dernier. Heureusement que les années se suivent et ne se ressemblent pas. Malgré moi, je suis portée momentanément à revivre un à un les événements de l'an dernier. Ce n'est pas un bon souvenir. Je lâche, je cède et décide qu'il est plus à propos de m'intéresser au moment présent, de constater comme je suis chanceuse d'être encore avec ceux que j'aime et d'être tout de même assez bien portante. Finalement, je parviens à vivre toutes les minutes de la journée dans une paix profonde, dans une réalité qui n'alourdit pas mon être.

Deux jours plus tard, je célèbre mon anniversaire de naissance. À mon insu, on avait organisé une fête à la cabane à sucre, mais Dame nature n'a pas daigné nous accorder une température favorable à la production de sirop. C'est donc ma belle-soeur qui m'a reçue comme brebis perdue et retrouvée. Tout était réellement bien constitué. Personne ne parle de l'an dernier. Nous vivons pleinement, tous les trois, le moment présent. Je suis heureuse. Il ne manque que Pierre pour un bonheur parfait. Je réalise combien il est important d'avoir autour de soi des personnes qui nous comprennent, qui ont vécu ces moments pénibles avec nous, qui sont demeurées sur le chemin de la souffrance partagée et qui sont conscientes que nous allons sur une route qui nous mène partout et nulle part à la fois !

Je continue d'aller me divertir avec eux, mais vitement je me vois dans l'obligation d'avouer que c'est trop pour moi, même si je ne fais que de les regarder travailler. Bien que je suis toujours assise, la forte chaleur de la bouilleuse m'indispose comme le soleil. Je perds à nouveau mes capacités. Le bruit des moteurs qui actionnent le jet à tubulures m'incommode. C'est vraiment trop pour moi. J'ai comme une sonnette d'alarme qui m'avertit lorsque ça suffit. Même si je goûtais à beaucoup de joie et que je me vois contrainte d'arrêter, je ne me laisse pas abattre pour autant. Cette année, je ne suis pas capable d'y aller, l'an prochain j'essaierai de nouveau. Je vis aujourd'hui positivement. Afin de ne pas me sentir inutile dans le commerce, je décide de m'asseoir sur un tabouret devant le poêle de ma cuisine et je fais de la tire comme avant d'être opérée. J'en fais une grosse quantité un peu à tous les jours pour la vente. À ma grande surprise, j'ai peine à fournir les demandes. Je suis enchantée de la saison des sucres et contente d'avoir pu faire contre mauvaise fatigue bon temps !

Conférence aux Filles d'Isabelle

Pâques s'en vient à grands pas. La régente des Filles d'Isabelle me demande si j'accepterais de témoigner à l'assemblée mensuelle et si j'écrirais un article pour notre journal d'amitié. J'accepte. Dans la salle, on peut compter environ 135 personnes en ce mercredi des Cendres. Moment favorable pour parler de la souffrance, de la Croix, etc. À la toute fin, une fille d'Isabelle chante **Un jour à la fois**. Je les regarde et plusieurs ont peine à retenir leurs larmes. Elles revivent sans doute une souffrance ou celle d'une mère, d'une soeur. Elle termine sa chanson étouffée par les sanglots et là, plusieurs pleurent en silence. Devant ce dénouement je me sens impuissante mais je sens que le Seigneur fait son oeuvre.

J'avais pour la première fois lancé le projet de mon livre publiquement. L'aumônier parle à son tour. Il avait préparé les cinq étapes à vivre à l'arrivée d'une épreuve sans savoir que de mon côté, je les citerais dans mon témoignage. J'avais expliqué comment j'avais donné un sens à ma souffrance. Il leur dit donc: «Je ne sais pas si Jean-Paul II est au courant du livre de Marcelle, mais sans avoir entendu son témoignage, j'avais choisi des passages de la visite du pape au Centre François-Charron et ils sont presque mot à mot ceux de Marcelle au sujet de la souffrance.» Je ne possédais pas de théorie. Je n'avais que mon coeur et la pratique. Je ne peux que remercier le Seigneur de cette coïncidence. Je croyais avoir donné un sens à ma souffrance mais je n'avais aucune certitude de ce que j'avançais. Et voilà que les écrits du pape venaient corroborer ce que j'avais dit. Cette confirmation fut pour moi source de joies indescriptibles.

Je peux affirmer qu'au fur et à mesure que je me donnais la peine d'aller au fond de moi, de réfléchir sur ce que j'y trouvais, une richesse incommensurable venait s'ajouter comme un nouveau complément sans cesse renouvelé à ma foi d'alors. Je réalisais que tout ce qui était autrefois entendu d'une oreille distraite, était aujourd'hui capté et assimilé en profondeur par mes deux oreilles et accueilli amoureusement par mon coeur.

Examen de contrôle

Le 30 avril 1985, sixième visite de contrôle à la clinique du sein. Je ne peux pas dire que j'ai la hantise de ces visites. Au contraire, elles me rassurent. Cette journée a une importance particulière pour moi.

C'est le temps, un an après l'opération, de repasser tous les examens et radiographies afin de déceler la présence possible de métastases. Tout d'abord la médecine nucléaire. Il s'agit d'un produit radioactif injecté dans le bras qui va se fixer au niveau des os et qui se trouve à imiter le métabolisme du calcium au niveau du foie, des os. Ce qu'on appelle une scintigraphie osseuse. La radio décèle si oui ou non j'ai su me défendre contre les métastases. La préparation et l'examen lui-même durent deux heures et ne causent aucune douleur. Par routine, on fait un certain nombre d'images représentant le corps. Ensuite viennent les poumons, l'autre sein et une quantité infinie de prises de sang.

Une fois le tout terminé, il ne me reste plus qu'à attendre les résultats. Le verdict: «Y a-t-il des métastases ?» Pour une semaine la question ne me laisse pas indifférente, mais lorsque je vois que je ne reçois aucune nouvelle, c'est tout un regain de vie et d'espérance qui me plonge dans le goût de vivre.

J'ai retrouvé ma fierté vestimentaire

Depuis mon opération, j'ai retrouvé le goût d'être fière du côté vestimentaire. Un aspect de revalorisation et de compensation. Un jour, j'avais des boucles d'oreilles que mon fils n'aimait tout simplement pas. Il me demande pourquoi je portais des boucles si laides. Je lui ai répondu tout simplement que c'était pour attirer l'attention des gens sur mes oreilles au lieu de les voir me regarder les seins en ayant l'air de se dire: «Est-ce celui de gauche ou de droite ?» Il a trouvé la réponse bien positive et approuvait fortement ma façon de compenser. Il en est de même pour ma coiffure. J'y attache plus d'importance et change de style pour attirer l'attention sur ma chevelure au lieu...

J'avais déjà fait de la couture mais jamais ma toilette au complet. J'avais le goût de recommencer à coudre pour moi. Je me mets à la tâche et je me découvre des possibilités cachées et ignorées jusqu'à aujourd'hui. J'y prends vraiment goût, et depuis ce temps je fais durant le printemps et l'automne toute ma tenue vestimentaire. Y compris mes manteaux d'hiver. Voilà pour moi une autre façon de me revaloriser, une compensation à ma fragilité. Du même coup, je passais de l'agréable à l'utile. Il est certain que je ne cousais pas du matin au soir. Par courtes durées à la fois. Un peu de travail suivi d'un repos en conséquence. Je travaillais à mon rythme sans me sentir pressée par personne.

Du côté santé, tout va assez bien sauf les bouffées de chaleur auxquelles je m'habitue. Mais avec juillet et ses grosses chaleurs, mes illusions de bonne santé disparaissent. Je suis fatiguée. Je ne peux absolument pas aller au soleil. Même de l'intérieur, il m'abat, m'écrase et m'enlève toutes forces et énergies. De jour en jour, ça augmente de sorte que je suis plus souvent couchée que debout.

Une fois, j'étais tellement rendue à bout que je ne pouvais plus entendre quoi que ce soit. Les bruits de la télévision et de la rue me semblaient d'une sonorité exorbitante. Je me suis enfermée dans ma chambre en prenant soin de fermer la fenêtre. Mes jambes me faisaient souffrir. Mon coeur était exténué. Je subissais un envahissement total de la tête aux pieds. J'étais si indisposée que j'en arrivais à penser à la mort. J'ai compris que lorsqu'arrivera le jour où la souffrance ne sera plus tolérable, je n'aurai plus à m'inquiéter de la mort. Je trouverai en elle une délivrance ! Quand arrivera ce moment-là, pourquoi essayer de lutter, de combattre, avec tout ce qui est vie, puisque je ne pourrai plus suivre le courant normal de la vie et des autres ? Aussi bien pour moi de suivre la mort !

Un soir, vers les dix heures, je sortis faire une promenade dehors, car la chaleur était entrée à l'intérieur de la maison. À un moment donné, je ne sais pas ce qui s'est produit, mais je me suis retrouvée à genoux sur l'asphalte. Cette chute, je l'attribue à la grande faiblesse de mes jambes. J'aurais pu me faire très mal, mais heureusement je n'avais que les deux genoux éraflés. Je suis revenue à la maison en souriant. Il me faudra être doublement prudente à l'avenir. Un autre inconvénient de la maladie ! Comment oublier ?

Doit-on dire la vérité aux personnes cancéreuses ?

Mon cheminement d'une douzaine d'années en contact avec des personnes cancéreuses me donne le goût de faire le point sur quelques attitudes à adopter dans nos relations avec elles. Par exemple, doit-on dire la vérité aux personnes cancéreuses ?

Selon moi, une personne a le droit de connaître la gravité de son état physique. Il ne me sert à rien aujourd'hui de me culpabiliser ou de regretter quoi que ce soit par rapport à mon silence avec mon grand frère Armand. Le médecin, sans doute, le sachant célibataire, malade, dépressif et seul, a cru bon de lui cacher la vérité. Connaissant à l'avance toutes les péripéties du processus de la maladie, il voulait probablement lui épargner la révolte, la solitude angoissante, l'insécurité, les craintes, les peurs et les inquiétudes de toutes sortes.

Mais quelles que soient les raisons du médecin et les miennes, de quel droit avons-nous usé pour disposer ainsi de la fragilité de la vie d'une personne humaine ? Qu'avons-nous fait de son droit à la liberté ? Peut-être a-t-il vécu ses trois dernières années dans un plus grand calme que s'il avait été mis au courant, mais les aurait-il vécues différemment s'il avait été conscient de sa situation ? Le temps serait alors devenu si important pour lui qu'il l'aurait peut-être employé à autre chose, autrement ? Les minutes auraient compté beaucoup à ses yeux. Les aurait-il employées pleinement dans le luxe, le contentement, l'insouciance ou aurait-il essayé de se détacher tranquillement de tout ce qui se rattache à la vie terrestre afin de s'apprivoiser à la mort ? En aurait-il profité pour aimer, pardonner et s'interroger davantage afin d'améliorer sa qualité de vie pour les quelques années qui lui restaient à vivre ?

Il va de soi que le médecin, quoique bien intentionné, devait sans doute se sentir mal à l'aise avec lui car tout homme droit aime la franchise. De mon côté, la culpabilité m'a toujours étouffée et rendue malheureuse. Lui, le principal intéressé, avait sans doute deviné depuis longtemps ! Il n'était pas dupe à ce point ! Alors, chacun de son côté, on a fini par souffrir seul, sans partager ses pensées, ses sentiments, ses souffrances et ses inquiétudes. La maladie de par ses effets néfastes cause suffisammant de traumatismes au malade et à toute sa famille sans pour autant en ajouter d'autres par surcroît. Au contraire, il faut plus que jamais partager l'amour, la joie et l'espérance. Ce qui donne comme résultat une confiance réciproque qui aide à libérer le malade en lui donnant l'occasion de livrer ses sentiments en toute liberté.

* * *

La vie ne nous appartient pas, à plus forte raison celle des autres !

* * *

Comment se comporter avec des personnes en phase terminale

Une autre question que je me pose souvent est la suivante: «Comment se comporter avec des personnes en phase terminale ?» Je n'ai malheureusement aucune théorie à apporter, sauf ma propre expérience vécue auprès de ces malades. Il est toujours difficile de savoir quoi dire et comment se comporter avec eux. En premier lieu, il faut que nous nous sentions disposés pour rendre visite à ces malades. Si notre rayonnement est éteint par nos troubles, nos inquiétudes et nos souffrances personnelles, nous ferons l'effet d'une lumière éteinte pour le malade. Laissons nos troubles à la maison plutôt que d'aller les communiquer à celui qui en a déjà suffisamment.

Notre visite se doit d'être comme un rayon de soleil capable de réchauffer leur coeur souffrant, de leur apporter un doux filet d'espérance, de leur donner toute l'attention et l'affection qu'ils attendent de nous. «La meilleur attitude à prendre, c'est d'être soi-même, naturel, simple, car il faut bien se dire que leur personnalité n'a pas changé. Si nous changeons la nôtre, ils le réaliseront et se sentiront mal à l'aise avec nous. Nous ne ferions qu'ajouter une cause supplémentaire à leurs souffrances[1].» Inutile d'encombrer leur chambre de fleurs. Ça pourrait donner l'aspect d'un salon mortuaire. Une simple fleur possédant une longévité supérieure, deviendra pour eux le symbole de notre présence et un soutien moral dans l'épreuve.

Attention à nos trop grandes effusions de tendresse. Un serrement excessif au visage pourrait leur donner un vertige causé par leur grande fatigue, tout comme une poignée de main trop forte pourrait causer des douleurs dans la région osseuse. Essayons de ne pas laisser paraître nos inquiétudes et nos soucis car l'expression de notre visage reflète notre état d'âme. Ils ont un sens développé pour analyser nos réactions et possèdent une sensibilité extrême. N'essayons pas de jouer au plus fin avec eux, ils en feront vite la découverte. Informons-nous tout simplement de la maladie et de ses développements. Avec une dose intuitive de psychologie, découvrons s'ils désirent en parler ou pas. Nous pouvons déceler leur état assez facilement. S'ils changent de propos, ça veut tout simplement dire qu'ils ne veulent pas en parler pour le moment. Par contre, si la con-

1. Société Canadienne du Cancer, **Le temps qu'il faut**, p.14.

versation s'engage, c'est que le malade sent le besoin de partager.

Tentons de bien les suivre dans leur conversation afin de comprendre ce qu'ils ont à livrer. Ne jamais leur couper la parole ou devancer ce qu'ils ont à émettre. Ne pas parler fort à moins qu'il s'agisse d'une personne naturellement sourde. Leur extrême faiblesse a pour effet d'amplifier la tonalité de nos voix. Être à l'écoute demeure encore la meilleure attitude à adopter. Évitons de leur apprendre de nouveaux cas de cancer ou de phase terminale. Ne jamais comparer leur phase terminale à celle d'un autre. Chaque malade a son cas particulier. Ne jamais imposer ses propres convictions religieuses. Par contre, si elles se révèlent identiques aux nôtres et que le malade manifeste le besoin d'un support moral ou spirituel, utilisons toujours des paroles teintées de miséricorde, d'espérance, de foi et d'amour. Une visite brève s'avère la plus bienfaisante. Quinze à vingt minutes suffisent pour le malade comme pour le visiteur. Si le malade a atteint une phase avancée, la tactique se veut différente. Les conversations deviennent doublement fatigantes et inutiles. À ce moment-là, ils retrouvent ce dont ils ont le plus besoin dans un regard de compréhension et de compassion, de tendresse et d'amour, dans une poignée de main sincère. Un regard affectueux vaut mille mots pour eux.

À l'hôpital, une infirmière avait pris la bonne habitude de se rendre chaque avant-midi, à l'heure de la collation, voir les cancéreux en phase terminale. Un d'eux semblait taciturne et replié sur lui-même. Chaque jour, l'infirmière faisait quand même un arrêt à sa porte à la même heure et lui souriait en ayant l'air de lui dire: «Tu n'es pas seul dans ta course vers la mort. Je suis avec toi dans ta souffrance.» Lui, depuis un mois, ne lui disait jamais un mot et n'avait jamais souri. Un bon matin, l'infirmière n'a pu se rendre à son rendez-vous habituel. Le lendemain, elle y est retournée et le bon monsieur renfrogné lui a dit en souriant: «Hier, garde, vous n'êtes pas venue et ça m'a manqué.» Pourtant, elle ne lui avait jamais adressé la parole !

Si nous avons la hantise aujourd'hui de visiter un malade cancéreux, n'attendons pas à demain. La hantise habituelle demeure toujours là et le malade ira de mal en pis. Nous pensons avoir la vie devant nous, alors qu'eux sont plus minutés. Il ne leur reste peut-être que quelques heures à vivre. Il est normal que ces visites soient difficiles. Pour nous, elles représentent le spectre de la mort et personne ne l'accepte comme une amie. Quoique ces visites se veulent toujours ardues, allons visiter nos malades cancéreux et rappelons-nous ces paroles: «J'étais malade et vous m'avez visité.» Nous visitons Jésus lui-même à travers ces grands malades.

Que dire à une personne qui a le cancer ?

Même quand les malades ne sont pas en phase terminale, on se demande souvent quoi dire à une personne qui a le cancer. Tout d'abord, le premier contact doit ressembler à celui que nous aurions avec cette même personne si elle n'avait pas le cancer. Pourquoi chercher de midi à quatorze heures des formules spéciales et des attitudes différentes de celles adoptées depuis longtemps. La personne atteinte subitement de cancer ne change pas pour autant de personnalité. Elle demeure la même personne avec ses mêmes attitudes envers nous. Ses sentiments n'ont pas diminué à notre égard. Pour elle, nous demeurons toujours la même personne qu'elle a connue. Pourquoi faudrait-il que nous adoptions un comportement différent à son endroit ? Par conséquent, seule la conversation peut changer. Autrement, si nous prenons une attitude nouvelle, du tout au tout, nous deviendrons gauches et nous ferons des gaffes, des erreurs et de la peine à la personne malade. Elle a suffisamment de difficulté à s'adapter à la maladie sans en plus avoir à s'adapter à un nouveau comportement vis-à-vis d'elle de la part de ceux qui la visitent.

Donc, soyons simples, naturels, nous-mêmes. Arrivons avec la certitude que nous visitons une malade comme n'importe quelle autre malade qui subit n'importe quelle des maladies. Autrement, notre malaise sera communicatif et ne fera qu'augmenter l'angoisse de la malade. Si nous arrivons avec une figure découragée, comment pourrons-nous encourager la personne ? Il faut tout d'abord être optimiste et confiants malgré la situation. Ça ne veut pas dire pour autant que les formules comme: «Tout ira bien», ou: «Ça ne sera pas grave», sont de mise. Elles auraient pour résultat d'empêcher la malade de partager ses malaises. Si au départ, nous lui disons qu'elle n'a pratiquement rien, elle se repliera sur elle-même et ne partagera rien avec nous. Ce qui l'aidera à se vider et à se libérer demeure l'attitude réaliste. «Ça ne va pas bien et elle le sait. Inutile de dire que tout ira bien[1]. » La meilleure méthode à adopter est de parler de tout et de rien au début et nous verrons si la conversation s'engage d'elle-même sur le sujet. C'est alors que nous devinerons si la personne veut en parler ou pas. Si elle enchaîne, allons-y et laissons-la s'exprimer. Plutôt que de parler, approuvons-la même si nous ne partageons pas ses dires. Il faut savoir à ce moment-là qu'elle n'a pas encore accepté cette phase difficile à passer. N'allons surtout pas lui dire qu'elle n'a pas l'air malade. Elle se sentira incomprise. En général, les gens ont la manie de dire aux malades, pour les encourager, de penser à un autre qui vit une situation plus pénible que la leur. Les malades sont assez lucides pour essayer de le faire eux-mêmes, mais réussir, demande beaucoup d'acceptation de leur part. Malgré leur bonne volonté, les gens bien portants sont là aussi pour

1. Société Canadienne du Cancer, **Le Temps qu'il faut**, p.13.

leur rappeler qu'il y en a qui se portent mieux que d'autres. Donc, ne pas aggraver leur cas ni le minimiser.

Ne pas laisser voir notre interrogation à savoir si elles sont capables de faire telle ou telle chose. Il leur faut faire des efforts pour se revaloriser, n'allons pas les éteindre avec notre négativisme. Après la convalescence, les prendre pour des personnes en rémission, capables de s'affairer selon leurs capacités, leurs possibilités, sans les voir déjà avec un pied dans la tombe. Soyons sans crainte. S'il dépassent leurs limites, une sonnette d'alarme se met à l'oeuvre pour les ramener à la modération.

Ayant moi-même cette manie d'être ardente et vaillante, il ne faudrait jamais que j'attende d'être fatiguée pour m'arrêter. Voilà un des secrets de la guérison et j'ai de la difficulté à garder le juste milieu. Mais les malaises me ramènent à l'ordre.

On veut tellement que les personnes atteintes ne soient pas malades que si elles parlent de bouffées de chaleur, vitement on les compare à des chaleurs de ménopause, alors que les malades savent fort bien qu'il ne s'agit pas de ça. Si elles parlent des effets secondaires comme des fatigues, on s'empresse de leur dire que leur âge y joue un rôle. Nous avons aussi des fatigues similaires aux leurs.

Comment peuvent-elles expliquer ces malaises qui s'apparentent à de la fatigue et qui créent cet envahissement de tout leur être ?

J'ai été plusieurs fois fatiguée dans ma vie, mais ce n'est pas ce que je ressens des effets secondaires. C'est un mal propre à la maladie ou plutôt aux médicaments. Certains, pour m'encourager — parce que j'ai de l'hormonothérapie à prendre pour le reste de mes jours — me disent que ce n'est pas pire qu'eux qui prennent des médicaments pour telle ou telle maladie. Leurs médicaments leur apportent un bien-être assuré et immédiat causant rarement des effets secondaires comme les miens. Pour eux, il s'agit de médicaments approuvés, acceptés et expérimentés, alors que pour nous la médecine en est encore à expérimenter et à attendre des résultats qui un jour seront peut-être assurés !

En définitive, ce que je viens de détailler est une réalité vécue. Mais comme on oublie vite ces manières d'aborder les malades sachant comment il est difficile de le faire avec tact et précision ! Ce qui importe c'est que nous allions voir nos parents, nos amis, nos connaissances atteintes de cette maladie. Que nous essayions de les comprendre, de les assister, de les aimer et de leur prouver nos sentiments quels qu'ils soient avec tous nos fantasmes et nos gaffes. Les malades sauront, quant à eux, différencier le vrai du faux. Ils ont tellement besoin de nous, ces malades, qu'ils nous aiment comme nous sommes.

Quant à moi, j'explique la théorie des visites aux cancéreux, mais advenant que j'aie une visite à effectuer à un malade cancéreux, je me demande toujours avant d'entrer dans sa chambre: «Que vais-je lui dire ?» Et toujours, je fais des gaffes malgré moi !

Il faut savoir rire de nos perles

Il est difficile pour les parents, les amis et les connaissances de converser avec des malades qui sont chers à leurs yeux. Naturellement, les gaffes abondent. Voici quelques perles de commisération qu'il m'a été donné d'entendre au cours des trois dernières années et les répliques qu'elles ont suscitées.

Trois heures après avoir appris que j'avais le cancer.

Infirmière:

— Calmez-vous, voyons ! Prenez de grandes respirations et cessez d'être ainsi stressée.

Moi:

— Bien sûr ! Il n'y a rien pour me stresser. Après tout, je n'ai que le cancer !

Une autre infirmière:

— Moi, pouvoir choisir, je choisirais le cancer du sein comme vous.

Moi:

— La différence, c'est que moi, je n'ai pas eu le loisir de choisir !

* * *

Martin, 9 ans, ne voulait pas croire et admettre que j'aie le cancer.

Sa mère:

— À qui voudrais-tu que cela arrive alors ?

Martin:

— Aux mamans qui maltraitent leurs enfants, mais pas à madame Marcelle !

Déjà, à neuf ans, on a peur du cancer.

* * *

Vous savez, je n'ai pas passé à travers cette épreuve seule. J'ai fait pleine confiance en Dieu.

— Espérons que ta foi sera assez grande pour faire repousser ton sein !

— La foi a quand même ses limites !

* * *

— Dis-toi bien que ce n'est rien à comparer à d'autres. Pense à celui qui a perdu une jambe ou un bras à cause du cancer des os !

— Comme si sa jambe ou son bras pouvaient me redonner mon sein !

* * *

Un paroissien vient ici une fois par année depuis mon opération. Ses yeux se promènent sans arrêt de gauche à droite sur ma poitrine en ayant l'air de se demander: «Est-ce le gauche ou le droit ?»

— Vous êtes sûr de ne pas avoir envie de toucher pour en avoir le coeur net une fois pour toutes ?

* * *

— Marcelle, sans indiscrétion, dis-moi de quel côté il s'agit.

— Seul mon mari le sait.

— Tu sais, pour ma femme, c'est du côté gauche. Si pour toi c'est du côté droit, à vous deux vous feriez la paire.

— Pourquoi faire de nous des siamoises en plus !

* * *

— C'est rien ta maladie à côté de la mienne. Si j'étais à ta place, je serais contente d'avoir le cancer. Au moins je serais sûre de mourir au plus vite et d'en finir avec la vie !

— La différence, vois-tu, c'est que moi j'aime la vie !

* * *

— Tu n'as pas l'air malade du tout. C'est à se demander si tu as vraiment le cancer !

— Peut-être n'en ai-je pas l'air. Cependant, je peux en avoir la chanson !

— Moi, avoir le cancer, il me semble que j'essaierais d'accepter ça beaucoup mieux que la plupart des gens atteints !

— Avant de dire cela, il faudrait que tu aies au moins l'expérience de cette maladie !

* * *

— Pourquoi t'inquiéter puisque que tu ne l'as plus le cancer ? Tu n'es pas plus en danger que moi. D'ailleurs, on a tous le cancer en soi, mais on le développe différemment !

— La différence, c'est que toi, tu ne le sais pas et il ne te dérange pas, alors que moi, j'ai à l'accepter !

* * *

— Ton mari n'est pas pour la reconstruction ? Ah ! ah ! il veut être certain que personne ne te courtise.

— Aussi bien de me dire que ce doit être horrible de me voir !

* * *

— Vous êtes toute belle. Ça ne paraît pas du tout. Vous, c'est le côté droit et ma soeur, c'est le côté gauche.

— Ça ne paraît vraiment pas ?

* * *

— C'est fou ce que cette belle-fille ne s'accorde pas avec sa belle-mère. Aussi pire qu'un vrai petit cancer qui ronge continuellement sans vouloir s'arrêter...

— Drôle de définition par hasard !

* * *

— Je ne comprends pas que tu puisses faire toute ta couture. C'est sûrement trop pour toi qui as le... qui es... Heu !

— Faut-il dire que j'ai déjà un pied dans la tombe ?

* * *

La même, un mois plus tard. Si je suis dans une période de grandes fatigues et que je ne sors plus de la maison, elle dira:

— Qu'est-ce qu'elle a ? On ne la voit plus. J'espère qu'elle n'est pas en train de nous préparer une récidive !

— Tout de même difficile à satisfaire, celle-là !

* * *

— Tu dois prendre de l'hormonothérapie pour le reste de tes jours ? C'est pas pire que moi qui dois prendre des médicaments contre la haute pression pour le reste de mes jours également.

— Accepterais-tu d'échanger de médicaments et de maladie avec moi ?

* * *

— Marcelle, t'es donc chanceuse d'avoir un bon moral ! C'est sûrement moins pénible pour toi que pour d'autres...

— Ce ne sont pas les autres qui acceptent la réalité pour moi ! Allons donc un peu plus au fond des choses et de la réalité !

* * *

Alors qu'au début ces petites bévues me faisaient mal, aujourd'hui, en les écrivant, elle me font sourire. Je pourrais vous raconter des anecdotes qui n'ont pas toujours été à mon avantage face à des personnes atteintes du cancer. Malgré mon expérience personnelle de cette maladie, ça demeure toujours difficile pour moi de converser avec ces malades.

Étapes à vivre lorsqu'arrive le diagnostic de cancer

Lorsque nous sommes appelés à fréquenter une personne atteinte de cancer, il est bon d'avoir une idée de ce par quoi elle devra passer.

Quand arrive une épreuve, peu importe laquelle, il y a toujours — ou à peu près — cinq phases difficiles à traverser. Elles se succèdent les unes après les autres et peuvent être inversées selon les cas et les personnes impliquées. On peut croire qu'elles ont été traversées alors qu'elles peuvent très bien revenir à la surface. Leur durée varie selon l'intensité de l'épreuve et les réactions des personnes. D'aucunes peuvent rester accrochées à une phase et avoir une difficulté énorme à s'en départir, mais quelle que soit l'épreuve, la réaction, la difficulté à vivre, on ne peut échapper à ces cinq étapes.

Première étape: la dénégation

Le diagnostic de cancer est une mauvaise nouvelle qui déclenche une situation de crise assez durable. C'est tout un choc. Le malade entrevoit l'évolution de la maladie et réalise que le temps se ferme quelque part. L'idée de la mort jusqu'à aujourd'hui, il l'avait repoussée puisqu'elle s'appliquait aux autres. Il se voit confronté à celle-ci. Personne ne peut assumer pour lui la situation. C'est la solitude, l'isolement, le manque d'espoir. On fait son deuil par anticipation. Le malade s'inquiète pour sa famille et l'avenir s'assombrit. La première réaction du malade en est une de rejet. «Ça ne se peut pas, je ne suis pas si mal. Il y a une erreur. Je n'ai rien fait pour mériter cela. J'ai trop d'obligations, de choses à faire. Pas maintenant, pas moi. Ce n'est pas vrai, il y a erreur. Je vais consulter ailleurs. Ce diagnostic n'est pas acceptable.» Cette réaction lui donne un délai pour rassembler ses énergies pour l'assumer. Graduellement, on pense moins souvent que ce n'est pas vrai, la réalité s'impose progressivement.

Deuxième étape: la colère

Après un délai plus ou moins long, le malade ne nie plus l'existence de la maladie. «C'est vrai, il n'y a pas d'erreur, c'est bien moi. Mais ce n'est pas acceptable, ce n'est pas juste.» Le malade entre alors dans un déséquilibre émotionnel continu et sa personnalité profonde est troublée. Il est choqué, fâché, rancunier. Son humeur l'amène à des revendications et à des explosions. La révolte s'installe à un taux élevé d'intensité. Celui qui est hospitalisé critique tout, sans arrêt. Rien n'est correct. À la maison, c'est la même chose et ça ne finit plus. Il ne voit que les mauvaises situations et s'identifie avec les gens malheureux. La crise est provoquée par la crainte de l'avenir. Le malade perçoit la perte de son autonomie. Il n'en veut pas de cette maladie et revendique à sa façon personnelle.

Troisième étape: le marchandage

Cette étape est très valable; elle témoigne que le malade veut vivre. Il est prêt à accepter une foule de choses, mais sous condition. Telle mère veut conduire ses enfants à un âge plus indépendant, telle grand-mère veut connaître un petit enfant en route, telle autre personne veut faire un voyage. Le marchandage traduit un espoir. Il se fait à répétition et c'est bien comme ça. Il existe aussi le marchandage religieux. «Si je guéris, je promets de faire telle chose, j'en fais le voeu.» La promesse n'est pas nécessairement réaliste; on est prêt à l'impossible lorsqu'on la fait. Et puis, un bon jour, on est guéri. La promesse est là, impossible à remplir.

Quatrième étape: la dépression

La colère s'est apaisée, le marchandage est terminé, mais la réalité s'impose. Certes on se rend compte qu'on peut encore faire des choses mais pas comme avant. La maladie a pu commencer à produire ses effets auxquels se sont ajoutés ceux de la chirurgie, de la radiothérapie et de la chimiothérapie. L'équilibre financier de la famille a trouvé ou cherche encore un palier à un niveau plus bas, imposant des limites inaccoutumées. Le malade a la nostalgie de ses capacités évanouies et se sent diminué et coupable. La situation présente deux aspects difficiles à vivre, l'un physique, l'autre d'ordre émotionnel. Il dépense toutes ses réserves d'énergie à se stresser inutilement. Psychologiquement le malade constate l'effondrement de ses responsabilités, perd une partie de son estime et n'a plus confiance en ses propres moyens.

Cinquième étape: l'acceptabilité

Il ne s'agit pas d'acceptation; ce n'est pas acceptable. Le malade ne nie plus la maladie, la colère est terminée, le marchandage également. Il sait qu'il peut encore faire des choses. Il sent que sa période de passivité doit se terminer, qu'il est capable d'activités avec et malgré la maladie. Il apprend à redevenir autonome, à se prendre en mains. La maladie peut même lui servir de moyen d'apprentissage d'un mode de vie supérieur, plus intense et plus profond. En général, avec un peu d'attention, on peut reconnaître le point qui est atteint. Il faut accepter chaque réaction comme nécessaire, normale et comme moyen de progresser. On peut aider, mais non pousser les réactions.[1]

Ceux qui subissent un échec, une séparation, passent par les mêmes phases avec plus ou moins de difficultés. La phase difficile par excellence, c'est la dépression paraît-il. Si à la suite d'une épreuve, l'on reste accroché à cette phase, il sera sans doute difficile de s'en sortir. Les phases passées peuvent revenir en surface. Le fait de bien passer et subir ces phases pour telle épreuve ne veut pas nécessairement dire qu'on s'en sortira toujours de la même façon dans une autre épreuve. Il reste que suite à une expérience vécue, en connaissant et en ayant expérimenté ces phases, il est probable qu'on s'en sortira plus facilement et plus rapidement.

Peut-on oublier que l'on a le cancer?

Peut-on conseiller à la personne qui a le cancer d'oublier sa maladie? Mon expérience me dit: «Non.»

Je voudrais intensément oublier que j'ai le cancer, mais c'est impossible! Trop de choses me le rappellent à tout instant. Le matin, au réveil, mon bras a besoin d'un peu d'exercice. Au menu du déjeuner, l'hormonothérapie prend toujours la vedette. Il ne faut surtout pas l'oublier sinon je serais inquiète. Le miroir me renvoie sans cesse mon image. Vite, il me faut m'habiller pour mieux camoufler les apparences. Pour y parvenir, il me faut ajuster ma prothèse. Comment bien mouler un contenu dans un contenant?

Tout au cours de la journée il me faudra faire un réajustement à ma prothèse si vraiment je veux me sentir à l'aise. À tout instant, les bouffées de chaleur me rappellent que je suis sous traitement. À ceci s'ajoutent les fatigues

1. Résumé d'une conférence donnée par le docteur Harry Pretty, 20 septembre 1984,à l'Hôpital Saint-Sacrement.

au moment où je m'y attends le moins. Le fauteuil me suffira-t-il ou faudra-t-il que j'aille me coucher? Après le dîner, la sieste s'impose pour m'aider à récupérer afin que je puisse terminer la journée en même temps que toute la maisonnée. Au souper, il ne me faut pas oublier l'hormonothérapie...

Quant aux soirées, maintes fois il me faut contremander ou sélectionner les activités convoitées. Ma main devient tout enflée, il me faut alors faire les exercices appropriés pour que tout rentre dans l'ordre. C'est maintenant le moment de passer aux exercices pour mon bras. Si je les oublie, il protestera et ne voudra plus obéir. Que j'ai hâte de me déshabiller pour enlever ma prothèse! Quand arrive l'heure du bain, comment oublier? Et tout n'est par terminé! Il faut aller au lit et là, nous sommes deux à ne pas oublier la réalité flagrante des séquelles du cancer! À maintes reprises, j'ai essayé d'oublier, mais c'était peine perdue. Un bon matin, je me suis dit: «Pourquoi les choses ne seraient-elles pas comme les personnes. On m'a souvent dit que si je voulais composer en harmonie avec les personnes, il me fallait les accepter telles qu'elles étaient et non comme je voulais qu'elles soient.»

À partir de ce moment, j'ai cessé d'essayer d'oublier et j'ai réalisé qu'il était plus facile de vivre en harmonie avec tous ces petits inconvénients en les acceptant comme faisant partie intégrante de l'horaire de chaque jour. Tels qu'ils sont, sans vouloir changer quoi que ce soit.

Survivre au cancer, c'est accepter de vivre pour ce que l'on est devenu avec ce que l'on a. Voilà la clé de voûte du bonheur pour une personne atteinte du cancer.

Que penser des solutions miracles?

En cours de convalescence, j'ai pris contact avec plusieurs personnes qui avaient toutes une solution infaillible au cancer: relaxation, jeûne, régime alimentaire, médicaments naturels, guérisseurs, hypnotiseurs, etc.

Il peut y avoir des éléments de solution dans tout ça, mais je crois plutôt que la santé vient d'un ensemble de facteurs comme ceux dont j'ai parlé tout au long de mon récit: vouloir guérir, accepter l'aide des médecins et des proches, vivre en harmonie avec son corps, faire sa place à Dieu et à ses dons, faire place aux petits bonheurs un jour à la fois...

Quand peut-on se prétendre guéri?

Une des questions qui revient sans cesse dans le cas du cancer est: «Quand peut-on se prétendre guérie?»

D'après Kushner, le cancer est une maladie chronique. Nous pouvons nous détendre et respirer plus librement après deux ans. C'est durant cette période que la plupart des métastases se produisent pour la première fois. Et nous pouvons respirer encore plus librement après cinq ans. Mais le temps qu'il faut pour évaluer la survie au cancer du sein est actuellement de dix ans. La femme doit donc se tenir sur ses gardes pendant dix ans. Il serait cruel, ajoute-t-il, d'affirmer autre chose.

Beaucoup de spécialistes affirment qu'on ne peut jamais — dans le cas d'un cancer du sein — prononcer le mot guérison. Même après quinze ans de non-récidive. Il préfère dire que le cancer est sous contrôle. Il est évident que plus les années passent, plus grandes sont les chances qu'une patiente guérisse. Cependant, il est toujours possible de développer des récidives tardives à son premier cancer parce qu'il y a le terrain et la persistance des mêmes effets déclenchants. Il s'avère donc juste de dire qu'une personne qui a le cancer du sein est marquée au fer rouge. Elle est étiquetée et porteuse d'un petit volcan prêt à faire éruption à tout instant.

Il ne nous reste donc qu'une alternative: combattre le cancer et survivre au cancer. Combattre, c'est se servir des armes mises à notre disposition comme les traitements, l'immunité, etc. Survivre, c'est une toute autre chose. Survivre au cancer, c'est vouloir vivre envers et contre tous. C'est accepter les effets secondaires au moment où vous en désirez le moins. C'est accepter de ne plus être égale aux autres sans pour autant vous sentir psychologiquement diminuée. C'est apprendre à établir des priorités sans vous faire un horaire précis car on ne sait jamais à l'avance comment on va se porter. C'est vaciller entre l'espoir et la peur à mesure qu'approchent les examens de contrôle ou l'examen médical annuel. C'est avoir une confiance aveugle en son médecin, en son traitement. C'est savoir accepter d'aller se coucher plus souvent qu'à son tour pour accumuler des réserves immunitaires. C'est savoir oublier que l'on a le cancer et cesser de s'apitoyer sur son sort.

Survivre, c'est se trouver une façon de vivre avec la certitude de ne jamais être assurée de son état de santé, et ce, sans s'alarmer. C'est savoir tirer profit de tout ce qui est drôle dans la vie. C'est savoir mettre en valeur ses possibilités pour se donner une nouvelle valorisation personnelle. C'est prendre soin de sa santé en lui donnant un régime alimentaire bien équilibré. C'est découvrir une façon de travailler sans se surcharger. C'est savoir s'amuser même si on n'a pas le coeur gai. C'est accepter les effets secondaires sans croire à une récidive.

Survivre au cancer du sein, c'est accepter d'être démunie, difforme, avec tout ce que cela peut comporter. C'est accepter d'être obligée de parler de son handicap afin de mieux s'en libérer. C'est accepter de faire subir à son mari, à ses enfants, à sa famille une série d'inquiétudes. C'est vivre un jour à la fois. C'est accepter la souffrance d'aujourd'hui sans l'accumuler sur celle d'hier. C'est demeurer positive face à la maladie. Aujourd'hui, si je vis un moment heureux, je vis pleinement, je le savoure, je l'apprécie à sa juste valeur. Je ne le vis pas en croyant que c'est peut-être mon dernier du genre, mais en me disant que ce précieux moment ne reviendra tout simplement pas. Comme tous les autres instants de ma vie passée. Survivre, c'est collaborer avec Dieu à la continuité de la vie. C'est vouloir aller plus haut, toujours plus haut. C'est profiter du temps qu'il me reste à vivre afin de bien me préparer à vivre éternellement. Survivre, c'est m'accrocher à de mini-espoirs pour en constituer une espérance complète.

Le cancer m'a enlevé ce que je pensais posséder entièrement: la vie éternelle ici-bas ! En échange, il m'a procuré une qualité supérieure de vie m'ouvrant de nouveaux horizons. Il m'a appris que chaque jour est un don de Dieu qui doit être utilisé sagement et pleinement. Cela personne ne peut me l'enlever parce qu'il vient de Dieu. Malgré tout mon bon vouloir, ma foi et ma qualité de vie améliorée, mon positivisme et mon acceptation, je dois avouer que je n'oublie jamais que j'ai le cancer. Il y a continuellement une crainte qui persiste inconsciemment et qui fait que je ne suis jamais assurée d'une guérison complète.

Les moments les plus difficiles à vivre, c'est lorsque j'apprends que quelqu'un que je connais est touché par cette maladie ou en vit la phase terminale. C'est sans contredit difficile à accepter. Je voudrais tant que tous en soient exemptés !

«Dis-moi, Pierre, que je n'aurai pas de récidive.»

Un jour dans ma paroisse, je visite une personne atteinte de cancer et qui vit une récidive. Je la visite assez régulièrement depuis deux ans. Je réalise subitement qu'elle commence sa phase terminale: je la trouve très souffrante et constate que la fin s'en vient. J'arrive chez nous toute bouleversée de l'évolution de la maladie et pour la première fois, j'étouffe dans mon coeur. Mon fils est en visite de fin de semaine. Je le prends à part et l'amène dans sa chambre; je ne veux pas que mon mari subisse mes réactions, parce qu'il est attaché à la personne en question. Sans préambule je dis à Pierre:

— Dis-moi, Pierre que je n'aurai pas de récidive !

— Bien non maman, tu sais bien que tu n'en auras pas, qu'est-ce qui te prend ?

— C'est que X est en phase terminale.

— Oui, mais lui ce n'est pas la même chose que toi, il avait déjà d'autres parties d'attaquées, tandis que toi, ça va bien depuis le début.

— Oui, mais j'espérais que vu sa grosse capacité physique, il puisse survivre, la vaincre la maladie. Pierre j'étouffe, j'ai besoin de t'entendre dire textuellement: «Maman, tu n'auras pas de récidive...»

— Maman, tu n'auras pas de récidive, ne pense plus à cela et continue d'espérer.

Je me souviens l'avoir pris par le cou, l'avoir serré fortement et mon étouffement s'est enfin dissipé. Aujourd'hui, je regrette de l'avoir saisi de la sorte, mais j'avais tellement besoin d'être rassurée. C'est comme si je revivais la phase de négation et de révolte, pour les malades que je visite, j'en veux à la maladie et toujours je n'accepte pas que mes amis ou connaissances en soient affectés gravement. Ces réactions négatives durent environ une heure et je m'accroche à nouveau à l'espérance. J'ai l'impression que ma révolte est à leur sujet, mais je me demande parfois si ça ne serait pas une peur prématurée d'une éventualité pareille à mon sujet ? Après cette heure difficile, je recommence plus que jamais à vouloir vivre. Lorsque je visite des personnes inconnues ou presque, je ne ressens aucune émotion et c'est facile pour moi.

J'espère toujours ne plus avoir à revivre les étapes de négation, de révolte, mais les circonstances aidant, il m'arrive de m'y attarder. Une personne en rémission pourrait donc dire à chaque matin devant sa coiffeuse ceci: «MIROIR, MIROIR, dis-moi qui je suis ce matin: négation, dépression, agressivité, marchandage ou acceptabilité ?

«MIROIR, MIROIR, maintenant que je te connais, je te prends comme tu es, dans le calme et le défi du sourire.»

Et la vie continue.

La mort

On ne peut pas penser au cancer sans penser à la mort ! Comme elle me fait peur et comme j'ai de la misère à l'apprivoiser ! La mort physique, on peut l'admettre, la comprendre et l'accepter parce que c'est visible. Là où je reste accrochée, c'est quand arrive l'invisible. «Je la vois comme le secret à connaître, le passage à accomplir, l'instant qui précède la Lumière, l'état d'attente. La mort, c'est la foi, l'espérance et l'amour en ce Dieu créateur, le Dieu de l'impossible. C'est le désir qu'on met à posséder définitivement l'amour. Jésus nous dit tout cela[1].»

Malgré cette définition, elle arrive difficilement à me convaincre présentement qu'elle est une amie bienveillante. Une amie qui chemine avec moi dans le voyage de la vie et me rappelle doucement de ne pas remettre à demain ce à quoi mon coeur a tant de fois rêvé. Une amie qui me demande de vivre ma vie plutôt que de la traverser.

Si je m'arrête vraiment pour penser à la mort, je réalise qu'elle est commencée depuis ma naissance puisqu'elle concerne chaque jour de ma vie. Oui, jamais je ne m'étais arrêtée à penser aussi clairement que chaque minute de ma

---

1. Carlo Carretto, **Mon Père, je m'abandonne à Toi**, Cerf/Nouvelle Cité, p. 29.

vit naît et meurt au fur et à mesure qu'elle se vit. Chaque événement faisant partie de mon existence est donc mort puisque la mort est la disparition de quelqu'un ou de quelque chose. Pourquoi tant s'accrocher au passé et même au présent puisqu'il n'y a que demain qui ne soit pas un peu mort ! On dit qu'on a peur de la mort et pourtant on s'y accroche avec ardeur puisqu'on s'accroche au passé ! Celui-ci étant mort, le corps et l'âme continuent à vivre. Le corps jusqu'à l'usure et l'âme pour l'éternité. L'usure du corps fait toujours son oeuvre, même qu'on l'aide à précipiter sa propre fin.

L'âme éternelle, quant à elle, continue son existence en passant par des périodes d'obscurité, d'hésitation, de rupture, de foi, d'espérance et d'amour.

«Quand nous mourons à la terre, nous sortons progressivement des choses de l'histoire pour vivre davantage en totale communion avec Dieu[1].» Pour m'habituer à cet état, Dieu a permis une certaine sensibilisation sur la terre de ce que sera l'au-delà. Tout ce que nous voyons sur la terre devient symbole de ce que sera le ciel en diminutif incomparable mais perceptible à l'oeil de celui qui veut voir. D'où l'importance de la foi, car elle est le fil émetteur de transmission de la vie à la mort et de la mort à la Vie. En faisant cette synthèse de la définition de la mort, comme je suis heureuse d'avoir la foi pour y croire, l'espérance pour la ranimer et l'amour pour la vivre. J'en déduis par là toutes les explications de ce qui se produit sur terre. Dieu ne force personne à croire en son Fils qui est venu nous montrer comment vivre. Il nous laisse libres de croire, de voir et de symboliser tout ce qu'Il a créé sur la terre en fonction de ce qu'Il nous prépare pour le ciel.

L'autre jour, quelqu'un me disait: «Tu serais surprise et déçue si après la mort il n'y avait plus rien ! » Je ne sais

1. Carlo Carretto, **Mon Père, je m'abandonne à Toi**, Cerf/Nouvelle Cité, p. 42.

pas pourquoi je serais déçue, car finalement, ça m'enlèverait quoi ? Le fait d'avoir vécu dans la foi, l'espérance et l'amour de Dieu m'aura appris qu'aimer est la meilleure façon de vivre ici-bas. Toutes ces réflexions m'ont aidée à me sensibiliser à l'idée de la mort et de sa réalité. Mais je n'arrivais pas encore à l'acceptation de cette éventualité. J'en voyais la grandeur, la beauté, la rencontre avec Dieu et les joies futures de la contemplation céleste. Je réalisais qu'il en serait ainsi. Et pourtant je restais encore accrochée à quelque chose. Ce quelque chose, je l'ignorais.

Afin de mieux comprendre, j'ai médité sur le détachement des biens de la terre. J'ai essayé, par une image intérieure, de vivre l'abandon dans le détachement des choses de la terre. J'ai donc essayé mentalement de me départir de toutes choses. Les unes après les autres: maison, biens, amis, entourage, famille. Jusque-là, c'était difficile mais j'y arrivais. Et lorsque j'arrivais à ceux que j'aime plus particulièrement, comme mon mari et mon fils, je restais accrochée. Je ne parvenais pas à couper le lien qui nous unissait. Comme ces étapes furent difficiles ! Une fois que j'ai réussi à m'en départir, je suis devenue légère, d'une quiétude inimaginable, d'une paix et d'un bonheur inconnus, d'une félicité indéfinissable ! C'était comme si tout avait décroché complètement de mon être humain et qu'un Être, invisible encore, était là me tendant la main pour le moment voulu du passage. Quelle sensation ! Quelle découverte !

Longtemps par la suite, je suis restée avec une paix indéfinissable. Pour la première fois je me suis dit: «Comme ce doit être beau la mort ! » Mais comme l'esprit est prompt et la chair faible, je me suis accrochée à nouveau aux miens et je sens que mon coeur a encore beaucoup de difficulté à se détacher de ceux qu'il aime. Cette expérience du détachement aura été pour moi un éveil, une sensibilisation à la mort. J'essaie de continuer à l'apprivoiser et à l'aimer tout en continuant d'aimer les miens. Comme c'est beau la vie !

Voici ce qu'un jour Khalil Gibran a répondu à quelqu'un qui voulait connaître le secret de la mort: «Vous voudriez connaître le secret de la mort ? Mais comment le trouveriez-vous sinon en le cherchant dans le coeur de la vie. La chouette, dont les yeux faits pour la nuit sont aveugles au jour, ne peut dévoiler le mystère de la lumière. Si vous voulez contempler l'esprit de la mort, ouvrez votre coeur au corps de la vie. Car la vie et la mort sont un, de même que le fleuve et l'océan sont un.»

Et Rilke ajoute: «Donne, Seigneur, à chacun sa mort, une mort dérivée de sa vie.»

«Encore Femme»

Toute difficulté peut susciter deux réactions: l'isolement ou le regroupement. Le cancer du sein ne fait pas exception. En octobre 1985, alors que j'étais dans un salon funéraire, une amie me présente sa cousine opérée comme moi, il y a huit ans passés. Elle m'offre de faire partie d'un groupe qui s'appelle **Encore Femme**. Il s'agit de femmes opérées pour le cancer du sein qui, ayant passé de durs moments, de longues incompréhensions, une réhabilitation, se sont regroupées dans le but d'aider celles qui aujourd'hui passent par la même épreuve. Depuis que je suis opérée, j'ai la sensation et la certitude même qu'on a permis ce cancer pour me permettre de faire un arrêt dans ma vie. Un arrêt qui me permettra par la suite de redémarrer dans une autre direction. Laquelle ? Où ? Je ne sais pas. Et j'accepte donc de faire partie de ce mouvement.

Quelques mois plus tard, par l'entremise de ce mouvement, j'étais invitée à une conférence donnée par l'O.Q.P.A.C.[1]. Deux jeunes atteints du cancer des os ont témoigné. Ces témoignages s'adressaient surtout au personnel de l'hôpital de l'endroit. Les deux jeunes acceptaient

1. Organisation Québecoise pour Personnes Atteintes du Cancer (1984) Inc.

très bien leur cancer. Ils voulaient démontrer que la vie pouvait continuer après le cancer. De par les intervenants, j'avais l'impression que, pour eux, il était impensable et impossible que des cancéreux en rémission prennent la chose de cette façon. Étant donné que nous avions droit de parole, je suis donc intervenue pour venir à la rescousse des jeunes. J'ai dit à l'assemblée que je corroborais en tout ce que les jeunes venaient de dire. Et le dialogue a suivi.

La Maison Catherine-de-Longpré

À la sortie, une dame est venue me demander si j'accepterais de les aider dans un projet magnifique pour la région de la Beauce. Projet similaire à celui de la Maison Michel-Sarrazin de Québec. J'ai accepté avec plaisir et aujourd'hui j'y suis impliquée assez activement. Je suis recherchiste et j'écris des articles publicitaires de sensibilisation pour tous les journaux hebdomadaires qui desservent la population impliquée afin qu'elle adhère à la grande souscription pour le projet de la Maison Catherine-de-Longpré. Je donne également des conférences de sensibilisation sur le projet. De plus, j'ai suivi un cours de relation d'aide comme bénévole auprès de ces grands malades en phase terminale. Je projette d'y donner suite à titre de bénévole toujours en respectant mes capacités et ma santé. Mon expérience vécue me servira sûrement à côtoyer ces grands malades tant à domicile qu'à la Maison Catherine-de-Longpré.

Je donne maintenant un des cours de formation aux nouvelles bénévoles. J'organise présentement un cours de formation dans une nouvelle région. Qu'avons-nous besoin de plus que le courage exemplaire de Catherine-de-Longpré pour nous stimuler à participer à ce projet des plus louables. À l'exemple de Mère Teresa de Calcutta qui a bâti des mouroirs pour permettre à des inconnus qui mouraient le long des rues de mourir dans la dignité humaine, donnons à ceux que nous connaissons et que nous aimons l'occasion d'augmenter leur qualité de vie restante dans un endroit spécialisé. Si la science ne parvient pas à trouver remède au mal qui détruit notre population, donnons un endroit bien spécial à ces grands malades qui ont une maladie bien spéciale.

Rappelons-nous ceci: Dieu n'a pas de mains.
Il n'a que les nôtres pour travailler
et n'a que les nôtres pour donner.

Qui sera la suivante ?

Soeur Georgette n'est plus. Je suis là, tout près de son cercueil avec des compagnes du groupe **Encore Femme**. Une grande dame qui a su comprendre si bien les défavorisés et les familles monoparentales. Elle a lutté, notre Georgette ! Elle voulait vivre. Elle avait un bon moral. Elle avait aussi un bon médecin, un bon traitement, Georgette, mais le cancer a été plus fort que tous. Je ne ressens pas l'émotion que je présumais. Je me disais: «J'ai les mêmes traitements à prendre qu'elle. Donneront-ils les mêmes résultats ? Et vitement j'ajoutais ceci: «Georgette est partie, mais j'ai à mes côtés Candide, Julienne et Claudette qui ont le cancer depuis douze, dix et cinq ans.»

Lorsque quelqu'un décède de cette maladie, comme ça me fait mal ! Il me faut me dépêcher de m'accrocher à celles qui sont passées à travers pour oublier celles qui n'ont pu vaincre cette terrible maladie. En arrivant chez moi, je me suis défoulée à ma façon. Et pour ce faire, je me suis offert toute une «bouffe» ! J'ai dit à mon mari: «Pas de régime pour moi ce soir.» Et je me suis payé le luxe de tout ce que j'aimais le plus en nourriture.

«Ce soir, je suis vivante ! À quoi bon me priver et suivre ma diète à la lettre ? Aussi bien en profiter pour le temps qu'il me reste à vivre ! C'est la troisième, comme nous, qui nous quitte dans les alentours en si peu de temps ! Qui sera la suivante ?

À la suite d'un témoignage à l'extérieur, on me demande d'aller visiter une personne en phase terminale du cancer du poumon. Je me suis trouvée bien avec elle et depuis, je visite avec grand intérêt et amour les personnes qui vivent une expérience de cancer ou de phase terminale à domicile ou à l'hôpital, dans ma paroisse et les alentours. Je suis si bien avec eux ! Comme je les comprends et les aime ! Je réalise que je suis parmi les chanceuses et que je n'ai rien comparativement à eux. Je les vois aller vers la mort plus ou moins courageusement. Comme il est difficle à d'aucuns de dire «oui» alors que d'autres sont pour moi un exemple de résignation qui me dépasse parfois ! C'est là que je vois l'importance de la foi. Je ne les visite pas pour donner, mais plutôt pour recevoir. Je sens vraiment une attirance vers ces personnes et je projette de réaliser ce service à titre de bénévole à la Maison Catherine-de-Longpré. Je sens le besoin de donner un autre tournant à ma vie afin qu'elle soit plus pleine et entière. C'est peut-être là que Dieu m'appelle et m'attend depuis trois ans !

Le lac de mes rêves

Nous avons quatre lacs dans notre localité dont deux sont reconnus comme sites touristiques. Je demeure en face d'un de ces deux lacs. Il est mon compagnon de tous les jours depuis trente ans. Fidèle, il est toujours là, prêt à me symboliser, par ses eaux, la vie avec ses hauts et ses bas. Que dire de ces merveilleux lever et coucher de soleil ! Que de fois je me suis assise sur le perron afin de m'émerveiller devant pareil spectacle. La joie est toujours renouvelée. Je compare ces moments de toute beauté à mes jours de calme, de paix et de quiétude. Les jours de tempêtes, de pluie et d'orages symbolisent mes peurs, mes incertitudes, mes maladies et mes souffrances. Comme j'apprécie le soleil qui se pointe malgré la pluie. Ça signifie que le beau temps va revenir.

La nuit, mon lac me fait découvrir des féeries ! Vers minuit, rien ne m'émerveille plus que de voir la lune à son plein. Face à ma fenêtre du salon, je ne vois qu'elle dans l'obscurité. Cette gigantesque planète d'argent se mire dans les eaux du lac en traçant un chemin transversal d'une rive à l'autre. Il m'apparaît avoir quatre pieds de largeur, c'est donc le reflet d'un chemin scintillant d'argent qui se dresse devant moi jusqu'à la lune. Indescriptible la sensation que cela crée ! À chaque fois que je regarde ce chef-d'oeuvre, je ne peux que le comparer à la marche sur les eaux de Jésus et de Pierre. On jurerait que c'est un chemin bien tracé sur lequel on n'a plus qu'à avancer. Quelle foi aurai-je ? Celle de Pierre ou de Jésus ?

Sur le lac, on peut toujours voir des promeneurs, en majeure partie des riverains. Il y a les bateaux motorisés, à rame et les pédalos qui vont et viennent en tous sens. Mais ce qui capte le plus mon attention depuis que j'ai été opérée, ce sont les véliplanchistes. Je suis fascinée par ces petites embarcations de toutes les couleurs qui avancent parfois à une vitesse vertigineuse ou qui ont peine à trouver assez de vent pour gonfler leur voile et se voient alors impuissants à garder leur vitesse de croisière. S'en suivent des chutes dans les eaux du lac. Mais toujours, avec acharnement, ils se relèvent !

Rien ne peut mieux me représenter. C'est moi qui essaie d'avancer en petite ou grande vitesse selon ma santé, mes forces et mes faiblesses. Je tombe et me relève comme eux. À leur exemple, je me relève sans cesse. Je m'accroche au voilier de ma vie et, coûte que coûte, il faut que je rentre à bon port, à la santé débordante, comme les véliplanchistes au bord du lac, à leur point de départ.

Malgré toutes les misères qu'ils connaissent, à chaque difficulté, ils ressortent plus expérimentés. Comme eux je peux dire: «Celui qui tombe et se relève est plus fort que celui qui n'est jamais tombé.» Tomber ce n'est rien ! Se relever fait toute la différence. Oui, ce lac est mon confident, toujours fidèle au rendez-vous. La différence entre lui et moi, c'est que nous ne passons pas nos états d'âme en même temps. Lorsque je suis «down», lui resplendit. Il est mon soutien, mon support moral qui me rappelle que l'obscurité d'aujourd'hui deviendra lumière demain, alors que lui deviendra ténèbres et tempête à son tour. Ce qui nous caractérise tous les deux vient du fait que nous demeurons sous la surveillance de Dieu qui observe en tout temps sa créature et sa création.

Le bonheur

Contrairement à la chance qui n'est réservée qu'à une élite et qu'on ne peut trouver même en la cherchant éperdument, le bonheur demeure la chose la plus facile à trouver. Il suffit d'être attentif au plus petit instant de chaque jour. Il vient des profondeurs de ce que l'on vit intérieurement. Il reflète la quiétude d'un coeur qui vit en paix avec lui-même et en harmonie avec tout son corps. L'homme crée son propre bonheur.

Tous aspirent au bonheur, à la santé, à la fortune, mais le bien le plus convoité reste sans contredit le bonheur. Avant d'être opérée, je rêvais d'un bonheur futur. Je vivais dans l'attente de celui-ci alors que le moment présent me le présentait sur un plateau d'argent ! J'avais un mari et un fils. Je possédais la santé. Je ne manquais jamais de rien. Je réussissais assez bien dans tout ce que j'entreprenais et, malgré tout, je cherchais le bonheur ailleurs !

Le bonheur, c'est comme la santé. On n'en découvre l'importance et la richesse que lorsqu'on l'a perdu. Il suffit de le perdre pour prendre conscience de sa réalité et de sa grande simplicité. Je le cherchais toujours ailleurs qu'à l'endroit où je me trouvais. Sans le savoir, j'en étais saturée à force de le savourer. Je ne lui trouvais plus aucune saveur. Il s'était affadi à cause de mon aveuglement et de mes exigences. Il a suffi que je perde la santé pour que j'en découvre l'importance. Qu'on aille donc m'enlever mon mari ou mon fils ! Je crierais vitement à l'injustice et je dirais que je ne pourrais jamais plus être heureuse. Et pourtant, j'avais tout pour être heureuse et je n'en avais pas conscience.

La raison, c'est que je vivais du passé et de l'avenir. Le présent importait peu pour moi. Je croyais le bonheur dans l'avenir alors qu'il se trouvait dans le moment présent. Il est là, tout simplement, à la portée de la main dans les plus petites choses du quotidien. Il me suffit de le voir et de ne pas rêver à un bonheur trop grand. Il me faut le cueillir au compte-goutte, car les petites gouttes font les océans. L'épreuve a su me prouver son existence. J'apprends maintenant à le découvrir dans toutes les choses agréables de la vie. Tout instant de ma vie devient fortuitement source de bonheur qui attend d'être saisi au vol. Il se trouve partout où on ne le cherche pas. Il sait se cacher subtilement tout en demeurant bien en évidence. Il se retrouve dans un sourire, dans le partage de la souffrance, dans une poignée de mains ou tout simplement dans un regard de compréhension.

Depuis ma découverte de l'existence du bonheur dans ma vie, j'essaie de me délecter du plus grand nombre de parcelles possible et je ne veux en perdre aucune. Chaque instant qu'il m'est permis de vivre devient si précieux pour moi que j'évalue au fur et à mesure la richesse de bonheur qu'il peut me procurer. Le présent m'appartient. Personne ne peut me l'enlever.

«Ne cherchons pas le bonheur dans le passé.
Ne le cherchons pas non plus dans l'avenir.
Cherchons le bonheur dans le présent.
C'est là seulement qu'il nous attend.»

(Auteur inconnu)

Ma vie intérieure

Du côté de la foi, j'ai délaissé le groupe de prière charismatique puisque maintenant l'intériorité et le silence répondent mieux à mes aspirations et à mes besoins. Depuis deux ans, notre groupe d'intériorité chrétienne silencieuse se réunit ici dans ma maison une fois par semaine. Je dirais que cette maladie a apporté à mon cheminement spirituel un appronfondissement et à ma foi de la maturité. En voyageant à l'intérieur de moi en compagnie de mon épreuve, j'ai appris à lui donner un visage ainsi qu'à ma souffrance. Je les vois maintenant toutes deux faisant des incisions dans mon coeur où Dieu s'est plu et se plaît encore à semer des graines de sentiments approfondis de paix, d'espérance, de joie, de goût de vivre, de bonheur et d'amour. Par la suite, il a renchaussé amoureusement ses plants pour les fortifier. Il ne me reste plus qu'à faire la récolte !

Je peux ajouter qu'à travers ces souffrances physiques, en avançant dans l'intériorité, je découvre maintenant mes souffrances d'être. Si j'ai réalisé que je n'avais pas su donner à mon corps et à mon coeur leurs besoins, à plus forte raison je constate que je ne savais pas procuré à mon âme tout ce dont elle avait besoin. Il est doux de naître, comme il est bon de renaître !

À l'occasion, j'assiste à des sessions et des fins de semaine d'intériorité données par le Père Yves Girard. Je me nourris de la lecture de ses livres et je laisse Dieu arroser sa semence. Plus j'avance en spiritualité, plus je réalise que je ne sais rien, que je ne suis qu'une petite poussière qui ne demande qu'à être soulevée. Je me sens tellement lente à aller à l'intérieur de moi que j'ai l'impression d'avancer à reculons. Puisque mon corps ne peut se permettre de s'exposer au soleil sans m'indisposer, je laisse alors mon âme se faire bronzer par le Soleil de Dieu.

L'amour

«J'aurais beau parler toutes les langues du monde, si je n'ai pas l'amour, je ne suis rien»
(1 Corinthiens 13, 1)

L'amour est si grand que je me sens indigne d'en parler ! On dit que l'amour est un sentiment, une attirance, un choix. L'amour, c'est un complément de la vie de l'homme. C'est sa subsistance, son ravissement, sa plénitude. L'amour pardonne tout, excuse tout, n'envie pas, ne tient pas rancune, accepte tout inconditionnellement. L'amour, c'est ce passeport — reçu à la naissance en devenant enfant de Dieu — qui nous donne accès à tous les itinéraires possibles vers le bonheur au cours de notre voyage terrestre.

L'amour est la plus grande richesse qui permette à l'homme d'évoluer en plénitude. Il est un souffle de vie, une puissance de transformation capable de faire surgir la vie partout où les germes de mort exercent leur ravage. L'amour nous communique une force, un courage, une solidité, une patience et une persévérance à toute épreuve. L'amour m'a fait expérimenter quatre phases successives à date: l'enfance, l'adolescence, l'âge adulte et l'âge de la maturité. Lorsqu'arrive la phase de la maturité, l'expérience de plusieurs années vécues, c'est à ce moment-là qu'on découvre le vrai sens de l'amour et le degré d'importance qu'on a attaché à ce grand sentiment. Que d'années ont été vécues dans la rancune, le manque de pardon, le manque d'acceptation des autres et la plupart du temps de soi-même ! On pense avoir vécu d'un amour réel alors qu'il était bien superficiel, conditionnel, éphémère.

Jésus est allé jusqu'au bout dans son amour, par-delà les souffrances et les injustices. Jésus n'a pas jugé, n'a pas condamné, mais par amour pour Dieu, en silence, Il a accompli le plus grand acte d'amour en donnant sa vie. L'amour est une puissance de résurrection. L'épreuve m'a fait voir plus intensément mes manques d'amour et a redonné à mon passeport une importance capitale. La vie éternelle sur terre dont je pensais avoir été gratifiée s'en trouvait pertubée, d'où le désir et le goût d'aimer davantage.

Pourquoi perdre un temps si précieux en vivant de rancunes, en s'apitoyant sur les injustices subies ? J'ai réalisé que le temps qui m'était alloué devait me faire profiter pleinement des rencontres familiales. Je les provoque ces rencontres. Je les organise parce qu'elles sont pour moi un besoin, une nécessité, un contentement. Je veux être heureuse et je voudrais que toute ma famille le soit aussi. Je sens le besoin de profiter du moment où nous sommes tous là pour partager et pour aimer.

L'amour des personnes atteintes du cancer, voilà un amour que la maladie a développé en moi. Alors qu'elles devraient symboliser pour moi la crainte, la peur, la déchéance, la souffrance, l'insécurité, la mort, voire même tourner le fer dans la plaie, elles représentent pour moi le reflet de l'espoir, de l'attente, de la persévérance, de l'espérance, de l'adaptation, de l'amour de la vie, de l'amour de Dieu et des hommes.

Comme je les comprends et comme je les aime !

Inquiétudes

Deux ans et demi après mon opération, j'ai toujours d'excellentes bouffées de chaleur, mais je crois et j'espère toujours que mes grosses fatigues vont cesser et que mon système va s'habituer aux médicaments une fois pour toutes. Et voilà qu'en octobre je recommence à être molestée. Ça augmente sans cesse ! Je recommence à me coucher pour récupérer. Ça ne va toujours pas mieux, même que ça empire constamment. J'ai beau me reposer, le mal persiste. Je me sens vraiment incorfortable dans ma peau. Mes jambes tremblent. Ma tête a peine à se concentrer sur ce qui se dit. Tout m'incommode et m'intéresse de moins en moins. Lorsque le malaise atteint son paroxysme, il faut que j'aille me coucher. À maintes reprises depuis le début, à intervalles indéterminés, j'ai ces malaises sans avoir fait d'excès d'aucune sorte. La durée la plus longue a été de deux semaines environ. Ces effets sont sournois. Ils arrivent au moment où je m'y attends le moins.

Malgré tout, je suis assez avancée dans mes écrits, suffisament pour avoir le goût de les terminer. J'essaie d'écrire une demi-heure par-ci par-là, mais je n'ai plus de résistance. Serait-ce le début d'une rechute ? La situation dure depuis un mois. S'il fallait que je demeure ainsi, je ne pourrais jamais finir mon livre. Lorsque je me mets à écrire, je me dis: «Savoir qu'une rechute m'attend, je ne perdrais pas un instant à écrire ou à faire quoi que ce soit. Je resterais avec mon mari sans arrêt et je goûterais minute par minute sa présence.» Je n'ose pas confier le degré d'intensité de mes malaises à mon mari vu qu'il projette un grand voyage de chasse.

Je me dis: «C'est mieux ainsi, personne ne me verra.» Mais voilà que mon fils vient passer la fin de semaine à la maison. Il est très compréhensif pour ma maladie, mais je réalise qu'il se sent plus à l'aise lorsque ça va bien. Lorsqu'il est à la maison, j'essaie de rester debout, mais aussitôt qu'il est sorti, je file vers mon lit. Je ne voudrais pas qu'il réalise vraiment mon état de santé. Je ne veux en rien ternir le temps passé avec lui et je veux goûter pleinement et intensément ces moments où nous sommes ensemble. Et voilà que je n'en peux plus. J'ai hâte qu'il parte pour Montréal car je sens que je ne pourrai plus lui cacher mon malaise. Quand il est parti, je me suis couchée et ce fut le point culminant de mes souffrances. Qu'adviendra-t-il de moi ? J'ai l'impression que toutes mes forces m'ont abandonnée. Comme je suis contente d'être seule et de n'énerver personne avec mon état ! Puis, tranquillement, les jours suivants m'apportent plus de résistance. Je reprends le dessus. Je recommence à écrire. Je goûte les minutes de présence de mon mari et la vie reprend son cours normal. Je suis heureuse.

C'était la première fois que je pensais à une récidive et je n'ai pas trouvé ça drôle du tout. À l'avenir, je ne m'y attarderai plus. Je me faisais mal inutilement. D'ailleurs un livre de la Société Canadienne du Cancer nous dit que ce ne sont pas là des signes avant-coureurs de récidive, mais plutôt des effets secondaires ou des fatigues accumulées.

Reproche à mon mari

Selon mon raisonnement d'alors, si je ne prenais pas de médicaments, je m'assurais de n'avoir aucun malaise. Mais ma confiance et ma conscience me suggéraient de continuer à les prendre.

J'ai ici un tout petit reproche à faire à mon mari. Le seul d'ailleurs que j'aie à lui faire au sujet de ma maladie. Je sens nettement qu'il n'a aucune confiance en mes médicaments. Pour lui, ce n'est qu'une béquille à donner à la personne malade. Ils apportent beaucoup plus d'effets secondaires que de bien-être physique. Pour lui, ma seule vraie défense, c'est mon immunité défensive. Je sais qu'il a les médicaments en aversion, ayant eu un jour à subir des effets secondaires très néfastes. Je respecte sa version des choses, mais lorsque rarement nous en parlons, ça nuit à la confiance que j'ai en eux. Alors j'essaie d'ignorer ses réactions négatives à leur sujet.

Quel que soit le traitement utilisé, le danger de métastases existe. Les micro-métastases qui se sont détachées de la tumeur cancéreuse pour aller par la voie sanguine envahir l'organisme et nidifier dans les ganglions, dans le foie, dans les poumons, etc. ne seront découvertes que lorsqu'elles auront atteint un certain volume. Ce temps dépendra de la vitesse de croissance de la tumeur. La personne cancéreuse se voit donc parfois obligée de vivre avec une bombe à retardement à l'intérieur d'elle-même. Elle ne sait jamais quand elle explosera et avec quelle intensité et quels dégats. Elle sait que son corps a été l'hôte d'un cancer et qu'il peut rester des séquelles à effets lointains. En effet, des cellules ou métastases non apparentes peuvent tout simplement dormir, demeurer à l'état latent, et, à un moment donné, surgir dans d'autres parties du corps et s'étendre comme une tache d'huile à la grandeur du corps.

Trois ans après

En mars 1987, trois ans se sont écoulés depuis mon opération. Le temps des sucres arrive. Je me sens en mesure d'accompagner mon mari à l'érablière. Afin que la chaleur ne me fatigue pas trop, je me tiens éloignée de la bouilleuse. Je fais ce que mes capacités me permettent de faire, et nous vaquons à nos occupations. Que de fois n'avons-nous pas dit au cours de ce mois, mon mari et moi, combien nous étions chanceux de pouvoir revivre ces bons moments. L'an passé, j'avais bien raison d'espérer pour cette année !

Mai arrive avec son regain de vie à nous transmettre. À nouveau, je fais toute ma couture vestimentaire. Je suis fière de pouvoir exécuter ce que je veux. J'ai toujours aimé faire de l'artisanat, et depuis deux ans, je m'en donne à coeur joie. J'essaie de faire de la créativité, ce qui me prouve que je n'ai rien perdu dans ce domaine. J'ai fait avec plaisir plusieurs nappes d'autel pour l'église et plusieurs autres ornements avec appliqués de précision. C'est un travail que je pouvais faire chez moi, à mon rythme et à mes heures. J'ai lu beaucoup au cours de ces trois ans, plusieurs livres sur le cancer et sur l'intériorité chrétienne.

Comme membre de différents mouvements, j'ai repris ma vie sociale. J'assiste aux réunions et participe aux tâches selon mes goûts et ce qui m'intéresse. En juin dernier, je suis allée donner une conférence sur la découverte de la beauté de la vie lors du Congrès des Fermières de la Fédération. Elles étaient environ trois cent cinquante. Et ont suivi par la suite toute une série de demandes de conférences sur le même sujet dans différentes paroisses de la région. Je suis allée, entre autres, au Congrès des Chevaliers de Colomb. Des déjeuners-causeries sont prévus à l'horaire de mon agenda pour cet organisme et celui des Filles d'Isabelle. J'établirai un horaire bien structuré pour m'activer mais je ne veux en rien recommencer à être toujours pressée et stressée. Un jour à la fois ! J'établirai des priorités afin de m'organiser une vie intéressante, mais pas trop captivante afin de continuer à jouir pleinement de la vie.

J'ai découvert le truc

En juin 1987, je termine mon livre. Je sais que je n'ai rien d'un écrivain, mais mon coeur désire partager une expérience de vie et de cancer. Je souhaite que ces quelques pages aideront celles qui, comme moi, auront à passer par cette épreuve. Je peux dire que ça m'a pris trois ans de convalescence pour sentir en moi une certaine réserve d'énergie. Avant, j'étais toujours à la limite de mes forces. Depuis six mois, mes chaleurs ont cessé quelque peu et en même temps mes extrêmes fatigues ont diminué. Et j'ai réalisé qu'enfin j'avais découvert le truc pour diminuer de beaucoup les bouffées de chaleur. J'ai cessé de m'habiller comme à l'accoutumé avec bas et robe trop ajustés. En hiver comme en été, je ne porte plus de bas dans la maison, et je me contente d'une robe d'intérieur ample et en coton uniquement. J'ai maintenant la paix ou presque. Dès que je demeure habillée, les bouffées recommencent, une personne avertie en vaut deux.

Lorsque je m'active au-dessus de la chaleur, cuisinière, repassage, vaisselle etc... les bouffées accompagnent toujours mon travail. Je suis maintenant beaucoup plus attentive à mon corps. Dès qu'une fatigue apparaît, je n'attends pas d'être rendue à bout avant d'arrêter. Je sais quand je dois me reposer de sorte que je n'accumule plus fatigue sur fatigue. Je ne suis pas encore celle que j'étais auparavant. Il me manque encore beaucoup de résistance, mais je suis contente de l'amélioration.

Il reste que ce qui m'incommode le plus depuis le début, et ce sans interruption, c'est la chaleur, même si j'ai découvert quelques trucs. Si je demeurais seule dans une maison, ça ne me coûterait pas cher de chauffage ! Je trouve qu'il fait toujours extrêmement chaud hiver comme été. Cette souffrance continuelle ne semble pas devoir s'arrêter. Je n'ai pas à priver les miens de chaleur. Il me revient donc d'accepter la température de mon corps. J'ai toujours l'impression de bouillonner et lorsqu'arrive en plus une bouffée de chaleur, il fait vraiment très chaud. Des effets secondaires des traitements, c'est ce que je crois.

J'espérais pouvoir supporter le soleil cette année, mais malheureusement je crois que je devrai encore rester à l'ombre cet été. La chaleur du soleil m'indispose à en perdre toute résistance. Je continue d'espérer pour l'an prochain. Mon bras demeure très incommodant, douloureux parfois, sans doute à cause du manque de persévérance dans mes exercices. Il enfle souvent ainsi que ma main. Je fais aussi de l'oedème dans les régions avoisinantes du sein opéré de sorte que je ne peux pas encore placer mon bras de façon confortable pour la nuit. Tous ces petits inconvénients font partie d'un tout auquel je me suis habituée.

Je suis présentement en rémission. En rémission totale ! Je l'espère et d'après mon humble avis, la réussite sans récidive résulte d'un ensemble de facteurs liés les uns aux autres, comme mentionné ci-avant, avec une volonté ferme de pouvoir et de vouloir m'en sortir. Avec acharnement, il faut que je m'accroche à tous ces facteurs pour que mon subconscient le commande à mon corps.

«Si la foi déplace des montagnes,
l'espérance y perce des tunnels.»

(Albert Brie)

CINQUIÈME PARTIE

Conclusion

Reconstruction du sein

Avant d'être opérée, je n'étais pas au courant des progrès de la science médicale face à la reconstruction du sein. Quatre jours après mon opération, ma nièce est venue me visiter avec une amie sur qui on avait procédé à la reconstruction d'un sein. Malgré son enthousiasme et sa satisfaction, à ce moment, je me voyais tellement démunie face à ma première opération que toute autre intervention chirurgicale ne m'intéressait nullement.

Plus tard, une amie du groupe **Encore Femme** me confiait qu'après deux ans de mastectomie, elle n'acceptait toujours pas d'avoir été ainsi défaite. Elle se fit faire la reconstruction du sein et voici ce qu'elle en dit: «Lorsque j'ai perdu mon sein, mes réactions ont été terribles et inacceptables. Et je peux dire que lorsque j'ai eu ma reconstruction, ma joie et mon bonheur ont été aussi grands et forts que les sentiments vécus à la perte de mon sein ! » Une autre après dix ans s'est décidée elle aussi. Voici ce qu'elle me confiait: «Ce fut pour moi un grand changement dans ma vie. C'est comme une deuxième naissance. Ma vie de couple s'en est également trouvée mieux. Je peux enfin m'habiller comme je le désire ! »

Après ces appréciations, je ne saurais qu'être convaincue de tenter l'expérience. Mais voilà, je ne suis pas prête psychologiquement et mon mari encore moins. Je sais qu'il s'agit de ma vie, de ma personne, de mon physique, mais je partage les mêmes sentiments que lui à ce sujet, à savoir que ça va bien pour le moment. Pourquoi chercher de nouvelles souffrances et peut-être des complications ? J'ai peur et je m'imagine que l'opération me fait courir le danger de provoquer l'éveil brutal des métastases qui dorment en moi.

Mon mari, en apparence, accepte encore bien la situation. Forcément, je me dois d'accepter, mais je sais que pour lui comme pour moi, j'ai un physique défait. J'ajouterais que si j'avais été célibataire ou une femme seule, la déformation de mon physique ne m'aurait nullement affectée et j'aurais accepté l'épreuve plus facilement. Face à lui, j'avais plus de difficultés à accepter.

Je laisse les ans passer, mais lorsque le danger de récidive sera moins à craindre, dans huit ou dix ans, moi aussi, je serai une adepte de la reconstruction. Je n'ai d'ailleurs jamais été pleinement satisfaite et bien avec ma prothèse. Le moment de l'enlever est toujours attendu avec impatience.

Vivre avec le cancer

Lorsque j'ai commencé à écrire ce livre, c'était pour ma satisfaction personnelle et les miens. Plus j'avançais, plus je sentais le besoin d'élargir l'accès à mes écrits. À travers ceux-ci, j'ai goûté un besoin, une nécessité, une détente, un plaisir. Je vous ai raconté tous les événements sans amertume. J'y ai mis toute la vérité et toute la sincérité possibles. Mon but n'était pas de faire connaître mes lamentations, mais surtout de faire ressortir ce que j'ai découvert dans cette épreuve. Comment je m'y suis prise pour en arriver à une acceptation. Le cancer en lui-même ne m'a pas apporté la joie, mais il a été le fil conducteur qui m'a conduit à cette joie.

Le cancer en lui-même ne s'accepte pas, mais on apprend à vivre avec lui. Il faut s'habituer à vivre avec lui l'inquiétude d'une rechute possible, mais il ne faut pas s'alarmer pour autant. Avec le cancer, nous avons toujours devant nous deux feux: le vert et le rouge. Lorsque la lumière est verte, j'accélère. Je vais partout où je veux aller. Je profite de la vie et de ses bons moments. Je m'occupe de ma maison. Je me tiens toujours occupée, de sorte que je n'ai jamais le temps de m'apitoyer sur mon sort et de me replier sur moi-même.

Lorsqu'arrive le feu rouge, c'est-à-dire les effets secondaires qui causent un abattement général, une fatigue extrême, je ralentis forcément et je me repose davantage. Il n'y a pas d'autres remèdes. J'établis des priorités pour mes sorties, mes visites, mes voyages. Sans amertume, je me couche pour récupérer en attendant calmement que la sournoiserie et l'hypocrisie de cette maladie et de ses effets secondaires cessent. Je me redis que ce ne sont pas là des symptômes de récidive. S'il y a rechute, ce sera à mon insu et en douce au début.

Si tout était à refaire, je crois que je procéderais exactement de la même façon. J'irais à la même clinique et au même chirurgien. Quant à mon médecin de famille à qui j'ai tout pardonné, je ferais fi de sa dysplasie et j'irais immédiatement à la clinique spécialisée. Je saurais m'organiser pour ne pas attendre dans l'agonie et l'enfer durant un mois et demi pour avoir un rendez-vous qui confirmerait mes doutes. Ma façon de me comporter face à la maladie serait la même, du moins je l'espère ! Quant à ma famille, elle serait encore merveilleuse de compréhension.

Contrairement à ce que d'aucuns pourraient penser, je ne suis ni une exaltée ni une extasiée. Je suis tout simplement une femme, comme tant d'autres, qui a eu à subir un arrêt au cours de sa vie. Oui, au tournant du chemin m'attendait cette épreuve du cancer. Je ne suis qu'une femme catholique, croyante et pratiquante qui a su se mettre à l'écoute et aller à cette école de la foi, de l'épreuve, de la souffrance, de la maladie et de la Croix. C'est étonnant ce qu'on y apprend à cette école ! Il y a entres autres choses, la découverte de l'existence de la vie et de la survie sous un tout autre aspect. Elle m'a appris à donner un sens à ma souffrance, à mon épreuve. Elle m'a fait connaître la Croix sous tous ses aspects. Elle m'a appris à faire de la Croix une amie et une alliée qui chemine à mes côtés durant mon passage de la vie à la mort. Quant à celle-ci, j'essaie de m'y sensibiliser, de m'apprivoiser à elle, en la voyant comme l'apothéose de ma vie sur terre.

Le plus beau voyage

J'ai fait au cours de ces trois années le plus beau voyage de ma vie. Un voyage organisé ayant à bord un guide qui ne pouvait être que Celui qui planifie ma vie. Aujourd'hui, je peux dire que l'itinéraire de ce voyage a réellement été bien pensé. Naturellement, il y a eu des arrêts et des escales forcés, mais que de belles découvertes m'attendaient ici et là en cours de route !

Ces trois années m'ont appris à découvrir à l'intérieur de moi-même tout le potentiel nécessaire au bon fonctionnement de l'être humain, et ce, à tous les points de vue. Il me fallait traverser ce tunnel pour y découvrir tout au bout la Lumière, le calme, la joie et l'amour. Tous les jours depuis cinquante-cinq ans, à chaque matin, j'ouvre une page blanche qui ne demande qu'à s'emplir jusqu'au soir. Aujourd'hui, je consens à livrer à nu mon livre de vie. Ce sont ces pages que je vous permets de partager avec le dénuement complet de mon orgueil et de mon respect humain.

Quant à l'abandon que j'y ai vécu et à l'acceptation, je crois encore qu'ils me viennent de Dieu. J'aime ajouter, cependant, que cet abandon ne s'est pas manifesté subitement. Il résulte de mon cheminement spirituel vécu depuis environ dix ans. Il faut apprendre que nos chemins ne sont pas Ses chemins. Il faut nous y conformer dans l'acceptation et le détachement.

Quant à ceux qui ne partagent pas ma foi et ma croyance, je respecte votre position, mais pour moi, il ne fait aucun doute que ça ne changera rien à ce que j'ai vécu. Que vous pensiez qu'il me vienne de Dieu ou d'ailleurs, l'essentiel pour moi est que vous puissiez croire à mon vécu, à mon expérience de femme mastectomisée. Au fond, qu'il vienne d'où ça voudra, c'est ce dont j'avais besoin en cours de route ! Vaut mieux que je m'accroche à quelqu'un que je connais qu'à un inconnu que j'ignore.

Tout ce que j'ai médité et découvert sur mes sentiments, je le dois à ma convalescence. Indirectement le cancer m'aura donc permis d'augmenter ma qualité de vie. Sans celui-ci, je n'aurais jamais changé ma mentalité face à la vie, car j'aurais négligé de prendre le temps de vivre. J'étais beaucoup trop occupée. Je ne dis pas que je suis plus heureuse qu'avant, parce que le bonheur ne se compare pas à un autre. Je dis à la femme opérée du cancer du sein qu'il est possible de vivre heureuse même avec le cancer.

Pour ce faire, il faut le vivre positivement, un jour à la fois seulement. Il faut savoir donner un sens à sa souffrance, accepter de porter sa croix et non de la traîner. Il faut surtout savoir que survivre, c'est d'abord et avant tout apprendre à vivre vraiment avec tous les petits instants de bonheur de chaque jour. Le cancer m'a enlevé bien des choses, mais en retour, il m'a donné ce que je viens de décrire. Cela, personne ne peut me l'enlever !

Un explorateur qui découvre un gisement minier se doit de l'exploiter s'il veut en tirer profit. Il en est de même pour moi. J'ai découvert des richesses dans des sentiments cachés et ignorés jusqu'à aujourd'hui. Il me reste maintenant à les travailler si je veux que cette mine produise du cent pour un et qu'elle continue d'augmenter ma qualité de vie.

Vous vous demandez sans doute si une femme qui a un cancer peut avoir des projets ? Oui ! Tout autant qu'avant mais avec une conception différente des gens et des choses. J'ai appris que l'homme propose et que Dieu dispose. Avant, je voyais la fin d'un projet avant de l'avoir commencé. Aujourd'hui, je me contente de le bâtir un jour à la fois. Pour le moment, je vois à la parution de mon livre.

Je m'occupe de la publicité pour la Maison Catherine-de-Longpré. Je m'occupe de ma maison et des miens. Je suis disponible pour faire de l'accompagnement comme bénévole auprès des malades en phase terminale. Je visite des personnes qui vivent une expérience de cancer. Je continue de diriger notre groupe d'intériorité chrétienne silencieuse et je donne mes conférences sur la découverte de la beauté de la vie expérimentée durant ma convalescence.

Tous ces projets peuvent se réaliser à mon rythme, selon mes capacités et à mes heures. Quelqu'un a cru bon de m'arrêter d'oeuvrer dans la communauté paroissiale, il me conduira sûrement là où je dois me diriger.

J'ai cependant un grand projet à long terme qui ne dépend pas de moi. Je rêve de connaître la belle-fille que me choisira un jour mon fils. Elle ne sera pas une belle-fille pour moi, mais la fille que je n'ai jamais eue. Et mon rêve le plus cher entre tous serait de connaître la joie d'être grand-maman un jour.

Si l'Auteur de ma vie permet que je goûte à toutes ces joies, il me reste encore plusieurs années devant moi.

Aux femmes opérées du cancer du sein je dis: «Courage, adaptation, espoir, persévérance, foi et amour.»

TABLE DES MATIÈRES

PREMIÈRE PARTIE
MA VIE AVANT L'HOSPITALISATION

DEUXIÈME PARTIE
MES OPÉRATIONS

TROISIÈME PARTIE
LE RETOUR À LA MAISON

QUATRIÈME PARTIE
RETOUR À UNE VIE ACTIVE

CINQUIÈME PARTIE
CONCLUSION